같이 토론

느우렁 나우렁 다우렁

– 함께하는 토론 수업

같이
토론

김정자 지음

느우렁 나우렁 다우렁 - 함께하는 토론 수업

한그루

책을 펴내며

교사라는 직으로 학교에 근무하면서 나의 수업 방법에 대해 고민하는 시간이 생겨나기 시작했다. 아마 초임 시절에는 내가 학생으로 학교에 다니던 시절과 거의 비슷한 모습으로 교단에 서 있었던 것 같다. 그러면서도 무슨 자신감인지 학생들과 제법 소통을 잘하고 있다고 느꼈다. 그러다가 학교의 수업 현장이 변하기 시작했다. 수준별 수업이라든지, 열린 수업이라든지, 몇 년 단위로 바뀌기 시작한 것이다.

이 시기에 학교를 방문한 장학담당자에게 들었던 말 중에 아직도 생각나는 가장 강렬한 말은 '한 사람이 천 명을 먹여 살린다.'라는 말이었다. 지금도 이 말의 뜻을 곰곰이 되새겨보곤 하는데, 늘 나에게 반문을한다. '그럼 한 명만 제대로 키우면 되는 것인가?' 그러면서 나도 반성하는 마음을 갖는다. 나도 한 명을 위해 다른 많은 아이들을 소홀히 하지않았는지 말이다. '성적'이라는 울타리로 아이들을 내몰면서 모두 1등을 하기를 바란 것은 아닌지 말이다. (석차를 매기면서 현실적으로 여러 1등이 나오지 못하도록 하면서)

아이들을 생각하면 이 말에 동의할 수 없다. 한 사람, 한 사람이 모

두 소중하고, 그러한 여러 사람이 있어서 천 명을 먹여 살리는 한 사람도 존재할 수 있는 것이다. 내가 토론에 관심을 가지게 된 이유 중의 하나도 '어떻게 가르쳐야 할 것인가?'라는 물음에 답을 찾아야 한다고 생각했기 때문이다. 한 사람, 한 사람이 모두 소중하다면, 그리고 그 소중함을 모두가 깨달을 수 있게 하려면 토론이 필요하다고 느꼈다.

10년 정도 토론을 수업에 적용하다 보니 제법 많은 자료들이 모였다. 수업 시간이나 동아리 시간에 실제로 활용했던 여러 경험과 자료들이 쌓인 것이다. 특히 서귀포시에서는 여름방학과 겨울방학에 학생들을 대상으로 하는 토론 아카데미를 연다. 학생문화원에서는 초등토론 아카데미를 진행하고, 시청에서는 중고등학생을 대상으로 청소년토론 아카데미를 실시한다. 그러한 이유로 토론 교과 모임이 활발하게 진행되고, 또 토론 아카데미 강의를 위한 자료 개발도 꾸준히 이루어진다.

이 책에 실린 글들은 나의 토론 수업 10년간의 기록이라고 할 수 있다. 토론 수업을 어떠한 자료로 어떻게 전개할 것인가에 대한 고민의 시간, 재미있는 토론으로 이어졌던 경험을 담아 보았다.

그리고 내가 직접 토론 수업을 해 보니 유익했던 토론 수업의 자료들이, 몇 년 뒤에 나와 같이 퇴임하지 않기를 바라는 마음으로 책을 펴내고 싶었다. 이 책이 수업을 고민하는 많은 선생님들이 쉽고 재미있는 토론수업을 이끌어가는 데 조금이나마 도움이 되기를 바라는 마음이다.

나는 지금도 토론 수업이 즐겁다.

책을 펴내면서 토론에 대해 생각하다 보니, 고마운 사람들의 얼굴이 스쳐간다. 토론만큼 '모두'를 생각하게 하는 것은 없을 것이다. 우선 토론은 혼자서는 절대로 할 수 없는 공부인 셈이다. 혼자 생각하고, 혼자

말하고, 혼자 대답하는 것은 토론이 아니니까 말이다.

토론을 하면서 생각을 나누었던 학생들과 토론 교과연구회에서 토론을 같이 공부하던 선생님들이 나를 성장시켜주었다고 생각한다. 즐겁게 토론 수업에 참여하면서 발표를 하고 질문을 하는 학생들의 모습이 있어서 나는 토론 수업을 더 사랑하게 되었고, 혼디모영토론교과연구회와 제주토론교육연구소 선생님들이 있어서 함께 토론 교육 활동을 더 열심히 하게 되었다.

나의 어머니는 내가 토론을 좋아할 수 있도록 큰 영향을 끼친 분이다. 어렸을 때부터 제주도 전설이나 속담 등을 재미있게 들려주면서 내가 이야기를 좋아할 수 있도록 보이지 않는 가르침을 주신 분이고, 교육자의 모습이 어떠해야 하는지를 몸소 보여주신 분이다. 내가 첫 발령을 받고 출근하던 날, 어머니는 내게 말씀하셨다.

"절대 아이들을 때리지 마라, 매를 맞아서 변하는 사람은 없다."(나는 절대로 어머니를 따라가지 못했다.)

나의 가족(남편과 아이들) 역시 내게 큰 힘을 주는 소중한 존재이다. 도전정신을 가지고 삶을 성공적으로 이끌어가는 나의 두 딸, 어린 시절에 나의 동화를 즐겨들으며 성장한 고3 아들은 언제나 힘을 주면서 나를 흐뭇하게 만들어준다. 늘 마음으로 응원을 주고받는 가족에게 고마움을 전한다.

![같이 토론]

I

**토론에
대한
고민**

토론의
의미

토론을 어려운 것으로 생각하고 멀리하려는 학생들이 있다. 그런 아이들은 토론은 말을 잘하는 일부 사람들이 하는 것이고, 그들조차도 말과 행동이 다르니까 그들이 하는 토론의 말도 별 쓸모가 없다고 여기기까지 한다.

그래서 나는 토론 수업을 하기 전에 학생들에게 토론은 무엇인지 빗대어서 표현해 보라고 말하곤 한다. 우리 주변에는 크고 작은 문제들이 늘 존재하기 마련이라서, 생활 속에서 토론으로 문제를 풀어가야 한다는 것을 학생들이 알아채기를 바라는 마음에서다. 그러면 아이들은 빗대는 능력을 자랑하면서 다양한 의견을 말한다.

"토론은 책이다."
"토론은 사랑이다."
"토론은 자유다."
"토론은 친구다."

물론 이때에도 왜 그렇게 생각하는지를 꼭 말하게 한다. 토론은 근거를 들어서 말하는 것이기 때문이다. 가끔은 '그냥요.'라고 말하는 아

이들도 있지만, 대부분은 근거를 들어서 이야기를 한다. 아이들의 다양한 이야기가 오고 간 다음에 교사인 나도 이야기를 한다.

"토론은 동전의 양면이다."

그리고 나도 근거를 들어서 말을 더 이어간다. 우리 주변에 늘 있기 마련인 일들이나 현상은 하나이지만 그것을 바라보는 시선은 크게 둘로 나누어지고, 그 둘은 찬성과 반대로 각각의 이유를 가진다고 말해 준다. 그러면서 다시 말한다.

"우리는 찬성도 아니고, 반대도 아닙니다."

우리는 지금 찬성의 의견과 반대의 의견을 공부하는 중이고, 그것이 말하는 사람의 신념과 꼭 일치하는 것은 아니다. 우리가 흔히 토론식의 학습을 하면서 저지르는 잘못 중의 하나는 그 사람의 주장과 그 사람의 생활을 일치시켜 판단하려 한다는 것이다. 이렇게 생각하게 되면 토론은 마치 싸움의 불씨처럼 느껴지게 되고, 더 멀리하게 되는 것이다.

예를 들어보자. 한 아이가 '독서는 학습에 도움이 된다.'라고 주장했다고 해 보자. 그 주장 다음에 반론을 하는 아이들은 어떻게 해야 할까? 아이들은 주장을 한 아이와 그 주장을 동일한 것으로 생각하는 경우가 종종 있다.

"걔는 왜 자꾸 책을 읽으라고 해?"
"책이 학습에 도움이 된다고?"
"그런데 걔 성적은 별로잖아."
"맞아, 그건 그래."

이런 식의 대화가 오고 간다. 이런 대화를 하는 이유는 무엇일까? 아이들은 지금 주장의 내용과 그 사람의 실제 생활이 일치해야 한다고 믿

기 때문이다. 그런데 토론 학습은 그렇지 않다. 우리는 지금 학습으로서의 토론을 하는 중이다. 우리는 다양한 의견들을 조리 있게 말하고, 판단하면서 듣는 방법을 학습하는 중이다.

예를 들어 '선의의 거짓말은 해도 된다.'라는 토론거리가 있다고 해보자. 그러면 나는 '선의의 거짓말을 해도 된다.'라고 생각하고 있더라도, 반드시 찬성 측 주장을 하게 되리라고 볼 수 없다. 찬성과 반대는 토론이 이루어지는 현장에서 정해지는 것이기 때문에, 만약 내가 반대 측 입장을 뽑게 되면, 당연히 찬성 측의 주장을 반박하는 입장을 보여야 하기 때문이다.

내가 학습으로서의 토론을 좋아하는 이유도 바로 거기에 있다. 찬성 측에도 설 수 있고, 반대 측에도 설 수 있는 유연한 사고를 유지할 수 있다는 점이 토론의 매력이라고 느껴지기 때문이다. 특히 아이들은 어느 한쪽에 치우쳐 생각하기 쉽다. 이런 경우에는 상대방의 입장을 헤아리기가 쉽지 않다. 아이들이 흔히 쓰는 언어들을 분석해 보면 그렇다는 것을 알 수 있다.

"그냥."

이 말은 간단하게 아이들의 평소 생각을 나타내는 말이라고 생각한다. 수업 시간에 어떤 일에 대한 의견을 물을 때가 자주 있다. 그러면 어떤 아이들은 생각하지 않거나, 생각하기가 귀찮은 듯이 '그냥'이라는 단어로 묻어 버린다. 토론에서 금기시해야 할 것 중의 하나가 '그냥'이라는 말이다. 이 단어는 생각하는 것 자체를 막아버리기 때문에 위험한 단어이기도 하다. 자라나는 아이들이 '그냥'이라는 단어를 사용한다면 그 아이의 생각이 자라나기를 기대할 수가 없기 때문이다.

"나만 아니면 돼."

토론은 우리 주변에서 일어나는 많은 일들을 해결하기 위해 필요하다. 그런데 주변의 여러 문제들을 대하는 자세에서 위와 같은 말을 하기도 한다. 나의 일이 아니니까 그 문제를 해결하기 위한 노력을 하지 않아도 된다고 생각하는 것이다. 가만히 앉아서 구경만 하는 것이다. 그런데 과연 나만 아니면 될까?

내가 남자중학교에 근무할 때의 일이다. 그때 나는 우리 반의 어떤 남학생 한 명 때문에 무척 바빴다. 그 학생이 학교에서 친구들이나 선생님과 마찰을 일으킨 적은 한 번도 없었다. 문제는 그 학생이 지각을 자주 하고, 심지어 무단결석까지 한다는 점이었다. 그래서 나는 가정 방문을 여러 번 하면서 그 학생을 학교로 오게 하려고 애를 썼다. 그때 옆에서 지켜보시던 어느 선생님이 내게 위로하듯 따뜻하게 말씀하셨다.

"놈의 아들 키우젠 허난 고생헴서."
(남의 아들을 키우려고 하니 고생을 하네.)

그때 내가 대답했다.

"내가 놈의 아들 잘 키워사, 놈도 우리 아들 잘 키워줄 거 아니꽈?"
(내가 남의 아들을 잘 키워주어야, 남도 내 아들을 잘 키워줄 것이 아닙니까?)

나의 이 대답은 지금도 내가 교사로서 가지고 있는 기본적인 생각이 기도 하다. 내가 가르치는 학생들은 나의 자식과 같은 존재들이라고.

그 당시 나는 딸 둘이 있었고, 아들은 없었다. (지금 나의 아들은 조금 늦 둥이인 셈이다.) 그래서 어떻게 그런 대답을 자연스럽게 했는지 모른다. 아무튼 교육은 혼자가 아닌 모두가 힘을 쏟아야 하는 것이고, 그중에서 도 교사들의 노력이 더 필요하다고 생각한다.

그때 교감 선생님이 나를 추천해주셔서 2000년 6월 16일 제주교육 리뷰 100호에 소개되기도 했다.

'내 아들만 아니면 된다.'라는 것도 불가능하다. 내 아들이 잘 크려면 내 아들의 친구들과 좋은 영향을 주고받아야 한다. 또한 학교의 선생님 들이 잘 교육해 주어야, 내 아들(친구들)이 잘 커나갈 것이다.

따라서 '나만 아니면 된다.'라는 것은 현실적으로 불가능한 것이다. 나만 아니면 되는 일은 어느 하루는 가능하지만, 장기적으로 절대 가능 한 일이 아니기 때문이다. 이건 아주 중요한 문제이고, 토론이 필요하 다고 느끼는 핵심 이유이기도 하다. 또한 토론이 어느 한 개인을 위한 것이 아님을 보여주는 것이기도 하다.

토론은 동전의 양면이다. 그런데 동전을 던졌을 때, 내가 동전의 앞 면에만 해당이 될까? 아니면 세상이 나만을 중심으로 돌아갈까? 전혀 그렇지 않다. 따라서 우리는 토론을 하면서 내가 해당할 수 있는 동전 의 앞면과 뒷면을 다 살펴보아야 한다. 각각의 입장을 헤아릴 줄 알아

남의 아픔도 넉넉히 안아주시는

서귀중학교 김정자 선생님

◇김정자 선생님

처음 만났을 때부터 오래 전에 알았던 사람처럼 쉽게 마음을 열어 보일 수 있는 선생님, 그 푸근한 미소로 다른 사람의 아픔을 넉넉히 안아줄 수 있을 것 같은 선생님이 바로 우리 학교 김정자 선생님이시다.

교단에 서신지 이제 15년. 흔히들 시간이 지남에 따라 처음 지녔던 아이들에 대한 사랑이나 교육에의 열정이 조금씩 사그라든다지만, 선생님은 오히려 그 사랑의 깊이가 더해지고 연륜과 경험까지 어우러져 튼튼한 교육적 노하우를 만들어 내는 것 같다.

아이들의 등교 시간에 맞춰 출근한 선생님은 곧 학급으로 달려가 아이들 한 명 한 명에게 따뜻한 눈길로 인사를 보내며 하루의 일과를 연다.

제 시간에 등교하지 않는 아이들을 걱정하여 전화를 하시고, 결석한 학생 집을 직접 방문하시거나 학교에 오지 않는 아이를 찾아 오락실이며 PC방을 다니시는 일도 마다하지 않으신다.

잘못을 저지른 아이를 꾸짖는 그 엄한 목소리에서도 아이에 대한 결코 포기하지 않는 믿음의 깊이를 읽을 수 있다.

뿐만 아니라 멀티미디어 자료의 효과적인 활용과 학생들의 동기유발을 위한 다양한 수업자료의 개발에도 부단히 노력하여 열린 수업의 실천에 앞장서고 계신다.

가끔 뉴스나 방송을 통해 학교 교육에 대한 사회의 불신과 우려의 소리를 접할 때면 교사로서 절망감을 느끼기도 한다.

하지만 김 선생님 같은 분들이 이 교육 현장을 지키고 계시고 그 선생님을 바라보는 아이들의 맑은 눈동자가 빛나는 한 아직도 학교는 희망으로 차 있음을 믿는다.

2000년 6월 16일 제주교육리뷰 100호에 소개된 내용

야 한다는 것이다.

프랑 파블로프의 『갈색 아침』을 읽고, 그 책의 추천인이 추천의 글에 인용한 시가 생각난다. 나치 치하에 살았던 마르틴 니묄러의 시인데, 토론에 대해 고민하던 나의 눈에 확 다가왔다. 남들이 당하는 부당한 현실을 내가 당하는 것이 아니라고 외면하다 보면, 나 역시도 그런 부당한 일을 당하게 되고, 아무도 나를 위해 부당함을 말해 주지 않을 거라는 내용이었다.

토론에서 주장을 내세우거나 반론을 할 때, 가장 설득력이 있는 것은 '그것이 바로 나의 문제'라는 것을 알게 하는 것이다. 그러면 '친구를 때리면 안 되는' 가장 중요한 이유를 알게 될 것이다. 사회에서든 교실에서든 우리는 어떤 문제가 있을 때 그 문제를 해결해야 한다. 즉, 남을 때리는 문제(더불어 사는 사회에서는 있어서는 안 되는 문제)에 대해서도 생각을 해야 한다. 왜 때리면 안 되는지.

그리고 '나만 아니면 돼.'가 왜 불가능한지를 연결해서 알면 우리는 더불어 사는 아름다운 공동체를 만들 수 있을 것이다. 우리가 토론을 배워야 하고, 토론을 생활화해야 하는 이유는 바로 모두를 건강하게 하기 위해서이다. 이러한 토론의 중심에는 늘 내가 있다는 점을 기억해야 한다. 그리고 언제나 나를 중심으로 생각하면 세상에는 수많은 '나'가 존재한다는 사실을 늘 기억해야 한다.

나에게도 교사라는 직업에 대해 더 생각하게 하는 글이 있다. 나는 〈광수 생각〉의 팬이다. 신문에 연재될 당시에도 나는 신문의 다른 기사들은 읽지 않고, 만화부터 보았다. 그 만화들은 짧지만 하나같이 나에게 깊은 울림을 주었다. 그 만화들이 책으로 출간될 때마다 모두 사서 다시 읽었다. 그중에 내가 신문에서 오려내 간직했던 것은 스승의 날 즈음의 만화였던 것 같다. 선생님이 삐죽삐죽 솟아 나오는 싹들을 단정

하게 잘라내는데, 어느 한 싹이 '자르지 마세요.'라고 말한다. 그리고 화자의 말이 나온다. '선생님, 선생님의 잣대에서 벗어난다고 모두 잘라버리는 것은 옳지 못합니다. 선생님, 당신이 힘드시다는 것을 우리는 잘 압니다. 하지만 전 조금의 수고를 더 부탁드리고 싶습니다. 선생님, 귀를 조금만 더 크게 여시고 이야기를 들어주십시오. 그리고 학교가 좀 더 따뜻한 곳이라는 것을 그들이 알게 해 주십시오.'

이 화자의 말을 곱씹고 있는데, 그 밑에 한 줄의 광수생각이 나온다. '당신의 자식도 끝내 학생이 될 것입니다.'라고.

입장을 바꾸면 '너'는 곧 '나' 자신이다. 토론은 모든 문제가 서로에게 영향을 주기 때문에 '나' 혼자 존재할 수 없다는 것을 일깨우는 과정이다. 그리고 모두가 함께 대화하면서, 더 나은 세상을 만들도록 노력하는 과정이다. 어느 한 사람만이 아니라 모두가 모여서 모두를 위한 최선의 해결책을 찾아내는 과정인 셈이다.

느우렁 나우렁 다우렁

토론을 하는 내가 가장 좋아하는 제주어가 아마 이 말이 아닐까! 먼저 발음이 부드러우면서도 아름답게 들린다. 그리고 의미를 생각하면 자꾸 듣고 싶어진다. 사람들이 조화롭게 화합하면서 살아가는 평화로운 모습이 연상되는 것이다. 그림 속의 풍경처럼 아름다운 말이다.

이 말은 내가 어렸을 때부터 주변에서 많이 들었던 말이다. 할머니들은 음식을 차릴 때 이렇게 말하곤 했다.

> "나우렁이랑 하영 초리지 말라."(나를 위해서는 많이 차리지 말라.)
> "다우렁 헌 거우다."(모두를 위하여 한 거예요.)

우리는 모두 '우렁(위하여)' 살았던 것이다. 이 단어를 생각하면 토론의 의미와 결론과 이어지는 것 같다. 토론에서 해결 방법을 찾을 때, 주장을 내세울 때, 설득을 하려고 할 때, 가장 먼저 생각해야 하는 것이 '느우렁 나우렁 다우렁'인 것이다. 당연히 그 결과가 너에게도 나에게도 모두에게도 좋은 쪽으로 돌아가야 하기 때문이다.

나는 교실이 아닌 우리 사회도 이와 같은 기준으로 토론을 통해 문제를 해결해나가기를 바란다. 그리고 문제의 해결은 '나'와 함께, '우리'

전체를 생각하면서 더 타당한 방법이기를 바란다. 가장 나쁜 해결의 방법은 '하향 평준'이라는 것이다. 이 방법은 얼핏 보면 공평하다는 생각까지 하게 한다. '나'도 '너'도 '모두' 그렇게 해야 간단하면서도 공평하다는 것이다. 이것은 결코 '우렁(위하여)'이 아니다.

공평해야 한다는 주장을 내세워서, '내가 고생했으니, 너도 고생해라.'라고 하는 것은 참으로 어리석은 것이다. '나는 고생했는데, 너라도 고생하지 말아야지.'라고 말할 수 있으면, 그 사회는 조금씩 고생하지 않는 사람들이 더 많아질 것이다.

나는 내가 가르치는 학생들이 지금의 어른들보다 더 나은 환경에서 살기를 바란다. 그들이 어른이 되어서도 토론을 하면서, 민주적인 시민으로 생활하기를 바란다. 우리는 고생하면서 컸더라도 그들은 덜 고생하기를 바란다. 내가 가르치는 학생들 모두가 행복한 학교생활을 하기를 바란다.

내가 수업하는 어느 반의 학생들은 토론을 참 좋아한다. 이 학생들을 보면 모두가 다 '나'이고 '너'이면서 세상의 '우리들'이다. 그러니 함께 토론하면서 너도 좋고, 나도 좋고, 우리가 모두 좋은 방향이 어디인가를 고민한다. '느우렁 나우렁 다우렁' 우리는 토론을 한다.

세상의 중심인 '나'가 모여 서로 영향을 주고받으며 살아간다.

II

토론
수업의
실천

토론 수업
안내

국어과 교사로 발을 디디고, 거의 20년 동안은 토론 수업에 대해 고민하지 않았던 것 같다. 그저 학생들의 발표 수업 정도에 만족했다고 할까? 수업 시간에도 토론은 이론으로만 학습했다. 토의와 토론의 공통점과 차이점을 비교 대조하면서, 실제로 시범을 보이거나 학생들에게 해 보도록 가르치진 않았다.

그러면서도 토론 수업에 대한 목마름은 늘 가지고 있었다. 교사인 내가 시범을 보이고, 학생들에게 실제로 토론을 하도록 해서, 몸으로 체득해야 한다는 것을 알고 있었다. 내가 먼저 배워야 한다는 생각에 원격으로 토론에 대한 연수를 계속 받았다. 교실에서도, 사회에서도 서서히 토론의 필요성이 고개를 들고 있는 상황이기도 했다. 여러 번 원격 연수를 받을 때에는 '교실에서도 실제 토론 수업을 해야지!'라고 마음을 먹었다. 그런데 막상 신학기가 되어 교실 수업을 하다 보면, 이전처럼 교과서에 충실한 이론 수업만 이어가고 있었다. 원격에서 배운 토론은, 내가 직접 몸으로 체득하지 못한 탓인지 수업에 적용하기가 어려웠던 것 같다.

그러던 중, 2011년 서귀포시에서 교사를 대상으로 한 서귀포시 교사 토론 아카데미를 시행한다는 공문을 받았다. 토론 수업을 고민하던

나는 '국어 교사니까 당연히 토론을 공부해야 한다.'라는 의무감에서 신청을 했다. 그래서 연수를 받으면서 토론을 공부하게 되었다. 그런데, 세상에! 그렇게 신나는 연수는 처음이었다. 내가 받아온 어떤 연수보다도 재미있었고 유익하다는 생각으로 그 방학이 꽉 채워지는 느낌이었다. 미리 준비하거나 공부하지 않아도 연수 시간에 앉아 있으면 머릿속에서 생각이 정리되면서 마음이 풀리는 느낌이었다. 토론 수업에 대한 두려움과 궁금증이 동시에 해결되면서 '나도 이제는 토론 수업을 해야겠다.'라는 결심을 다시 하게 됐다.

토론 아카데미 연수를 다 끝내고 학교로 갈 때가 되자 신나게 신학기 수업 구상을 했다. 이번에는 절대로 토론을 놓치는 일이 없으리라 굳게 다짐을 했다. 그리고 마음만 먹은 것은 쥐도 새도 모르게 사라질지 모르니, 학생들 앞에서 공표를 했다. 학기 첫 국어 시간에 앞으로는 한 달에 한 번 토론 수업을 하겠다고 하니 학생들의 눈빛도 반짝였다.

나도 아이들도 토론 수업이 처음이라 적응하는 시간이 필요했다. 그래서 3학년 국어 수업 첫 시간은 소개하기부터 했다. 지금까지의 일상적인 소개가 아닌 논리적인 소개를 하도록 했다. 다섯 단계로 구분되어 논리적인 말하기의 방식을 쉽게 익힐 수 있는 방법이라고 생각해서 시도했는데, 학생들은 소개가 신선해서 좋다는 반응이었다. 우리 학교는 남녀 각 1반씩이고 초등학교에서부터 쭉 같은 반이었으니 '이름이 무엇이고 취미가 무엇이다.'라는 소개는 형식적인 것에 불과했기 때문이다.

나는 토론을 시작하면서 논리적인 전개가 이루어지도록 학습지를 마련했다. 근거를 들어서 말하는 훈련이 자기소개에서부터 이루어져야 하기 때문이다. 그리고 토론은 말하기와 듣기가 동시에 이루어진다는 것을 배우게 하고 싶었다.

그다음 시간에는 '토론의 달인, 세상을 바꾸다.'라는 동영상을 시청

자기 소개하기

우리 반 친구들의 이름은 모두 알고 있습니다. 그런데 그 친구들은 어떤 생각을 하고 있는지, 왜 그렇게 생각하고 있는지, 나하고 생각은 다른지 궁금합니다.
나의 생각을 논리적으로 소개해보고, 상대방의 소개를 잘 듣고, 나와 다른지도 비교해 봅시다.

( )학교 ( )학년 ( )반 이름( )

번호	형식	내용
1	주장	나는　　　　라고 생각합니다.
2	이유	왜냐하면　　　　하기 때문입니다.
3	근거 (예시)	예를 들어　　　　합니다.
4	반론	다른 사람들은　　　　라고 하기도 합니다.
5	최종 주장	하지만 나는　　　　라고 생각합니다.

우리는 얼마나 남의 말을 귀담아듣고 있습니까? 혹시 자기 할 말만 하고 남의 말은 흘려
버리고 있지는 않습니까? 토론의 기본은 남을 존중하는 것, 남의 말을 잘 들어주는 것입
니다. 지금부터 들은 내용을 잘 정리해 봅시다.

번호	성명	주장	이유	근거(예시)	특징
1					
2					
3					
4					
5					
6					

하면서 토론의 재미를 느끼게 했다. 그리고 대략적인 토론의 이론을 요
약해서 설명했다. 그래서 입론이니, 반론이니, 개념 정의니 하는 용어
에 대해서도 친숙해지게 했다.

　본격적인 실제 토론이 이뤄지는 토론 수업 전에도 주장을 세우는 입
론 연습을 충분히 했다. 교실에서 보이는 문제들을 예로 들면서, 주장
을 내세울 때는 반드시 타당한 이유를 들어야 함을 강조했다. 3분이라
는 시간 동안 이유를 들고, 설득이라는 목표 달성을 위해서는 3가지 정
도가 필요하다는 것을 배웠다.

드디어 3월, 실제로 학생들이 주장을 말하는 토론 학습을 해 보았다. 수업 시간에 이뤄져야 했기 때문에 토론 주제에 대해 고민하다가 교과서의 내용을 참고하기로 했다. 우리 학교 국어교과서 1단원이 작가와 사회의 만남인데 여기에 '난장이가 쏘아올린 작은 공'이라는 단원이 있어서 토론의 논제를 '가난의 책임은 국가에게 있다.'라는 것으로 정했다.(이 논제는 그해에 서귀포시 중학생토론대회 논제로 추천을 해서 토론의 논제로 쓰이기도 했다.)

미리 토론 학습지를 나누어주고 학생들에게 작성해오도록 했다. 그리고 수업 시간에 확인을 하면서, 같이 주장의 이유들에 대해 검토하는 시간을 가졌다. 더 근본적인, 핵심적인 문제들을 찾아야 하는데, 아직은 학생들이 힘들어하는 모습이었다. 입론지 작성이 끝나면, 실제로 토론을 진행할 두 조를 정하고, 가위바위보로 찬성과 반대를 정해서 토론을 진행했다.

처음 하는 토론이라 다소 엉성한 점도 있었지만, 무엇보다 놀란 점은 말하기의 수준이 너무 차이가 난다는 점이었다. 자신의 주장을 제대로 내세우는 아이들도 있었지만 30초 말하기도 힘들어하는 학생들도 있었다. 그래서 더듬더듬 한두 문장만 말하고 서 있는 학생도 있었다.

앞으로 토론 수업을 하면서 말하기가 익숙해지도록 해야겠다는 생각이 들었다. 또 하나는 학생들의 듣기 태도나 능력이 많이 향상될 것이라는 생각이 들었다. 모든 학생이 토론 시간이 끝날 때 토론 학습지를 제출해야 하기 때문에, 들으면서 내용을 써야 한다. 그래서 평소보다 더 듣기에 열중하는 모습을 보였다. 또한 자신의 생각을 당당하게 말하는 자신감 있는 태도를 보여주었다.

이 토론 양식은 지금도 계속 사용하고 있는 기본적인 형식의 토론 학습지이다. 그리고 토론을 수행평가에 반영하는 데 근거가 되는 학습지이기도 하다. 토론 수업을 처음 할 때 고민은 '수행평가에 어떻게 반영할 것인가?'라는 것인데, 이 학습지 덕분에 고민이 해결되었다. 나 또한 토론 수업을 시작하기 전에는 앞에 나와서 토론을 하는 찬성 측과 반대 측의 토론자만 토론을 하는 것이라는 잘못된 생각이 있었던 것 같다. 토론은 일부의 사람들만 하는 것이고, 말을 잘하는 사람만 하는 것이라고 생각했었기 때문에, 토론 수업으로 들어오기를 두려워했던 것이다. 그래서 토론 수업을 더 빨리 시작하지 못했던 것이다.

그런데 토론은 서로의 소통 과정이므로 입론지(앞면)는 모두가 다 작성을 하고, 판정지(뒷면)는 실제 토론 수업 시간에 토론 진행 과정을 들으면서 작성을 하니까, 앉아서 듣는 학생들도 모두가 토론 참여자가 되고, 수행평가의 대상자가 된다.

실제 주장하고 반박을 하는 토론자도 중요하지만, 토론을 보고 들으면서 그 진행과정을 파악하는 것, 그리고 어느 쪽의 주장이 더 설득력이 있는지를 판단하는 것도 그에 못지않게 중요하기에 수행평가의 자료로도 충분하다는 생각이다. 사실 토론에서 주장을 하는 이유도 '내 주장을 잘 판단해서 결정해 주세요.'라고 듣는 사람들에게 요청하는 행위이다.

토론 학습지 앞면					
토론 학습지 (입론)	'난장이가 쏘아올린 작은 공' 관련 토론				스스로 점수
	( )반 ( )번 ( )		날짜		
논제	가난의 책임은 국가에 있다				
	(핵심 개념 정의)				
문제 제기	등장 배경 및 개선의 필요성				

		찬성 측	찬성 측
첫째	이유		
	근거 사례		
둘째	이유		
	근거 사례		
셋째	이유		
	근거 사례		

토론 학습지 뒷면					

토론 학습지 (판정)	논제:			스스로 점수	
	( )반 ( )번 ( )		날짜		
구분	찬성 측( ),( ),( )		반대 측( ),( ),( )		
1토론자					
2토론자					
3토론자					
4토론자					

4월에는 두 번째 토론 수업을 했다. 토론의 논제는 '선의의 거짓말은 해도 된다.'였다. 확실히 처음보다는 기록하는 면이나 발표하는 면에서 나아졌다는 생각이 들었다. 디베이트 토론의 규칙을 더 잘 이해하고 있어서 이전까지 찬성 측이나 반대 측에서 보였던 각각의 주장이 없어지고, 찬성 측의 주장에 대해서만 반론을 펴는 정돈된 모습이 보였다.

두 번째 토론을 하다 보니 토론의 형식에 대해 고민이 생겼다. 지금까지는 교사 토론 아카데미에서 배운 대로 4:4 토론으로 찬성 측의 입론이 끝나면 협의시간을 주고 다시 토론을 진행했다. 나는 토론을 처음 시작하는 입장이라 '배운 대로 하는 것이 가장 낫지 않을까!'라는 생각을 하고 있었다.

처음 출발은 아주 좋았다. 찬성 측의 학생들은 미리 입론을 준비했고, 반대 측의 학생들도 입론 학습지에서 예상 반론을 미리 준비해온 터였다. 그리고 주장에 대한 반박과 그 반박에 대한 재반박의 과정을 하나씩 해 나가고 있었다.

그런데 문제는 반대 측의 4번째 토론자에게서 나왔다.

토론 (입론하기)	입론과 반론			스스로 점수	
	( )반 ( )번 ( )		날짜		

논제	선의의 거짓말은 해도 된다.
	(핵심 개념 정의) 선의: 착한 마음, 좋은 뜻.　　　거짓말: 사실이 아닌것을 사실처럼 꾸며낸 것.
문제 제기	등장배경 현실적 심각성 및 개선의 필요성

문제 제기	등장배경 현실적 심각성 및 개선의 필요성	· 말이 세상을 지배하는 세상이라 말이 중요하다. · 거짓말에 상처 받는 사람들이 있다.

		찬성측	반대측
첫째	이유	선의의 거짓말은 타인을 배려해준다.	선의의 거짓말은 거짓말일 뿐이다.
	근거 사례	의사가 큰 병에 걸린 환자에게 큰 일이 아니니 안심하라고 말을 해 그 환자에게 고통과 상처를 덜어줄 수 있기 때문이다. 선한 의도를 가진 말이니까 해도 된다.	병에 걸린 환자나 보호자에게 큰 일이 아니니 안심하라고 선의의 거짓말을 하게 된다면 그 환자는 오히려 나중에 알고나서 더 큰 상처를 받을 수도 있을 것이다.
둘째	이유	원만한 대인관계를 유지시켜 줄 수 있다.	원만한 대인관계 유지가 안될 수 있다.
	근거 사례	타인에게 배려심 주는 말로 악의 거짓말이 아닌 선의의 거짓말을 하면 원만한 대인 관계를 유지 시켜줄 수 있을 것이다. 잘못이나 단점에 대해 너무 사실적 으로 말하면 인간관계가 나빠진다.	선의의 거짓말을 하다가 타인이 그게 거짓말이라는 걸 알았는데도 모르는 척 했는데 계속 선의의 거짓말을 하면 타인은 나를 못 믿게 되고 서로 좋은 관계가 유지되기 어렵다.
셋째	이유	타인에게 힘을 준다.	타인에게 전혀 힘이 되지 않는다.
	근거 사례	악의의 거짓말이 아닌 선의의 거짓말을 해서 힘들어 하거나 고통을 받고 있는 타인에게 선의의 거짓말로 힘을 줄 수 있다. 도움을 받고 있다고 느낄 것이다.	선의의 거짓말도 거짓말의 일종이다. 거짓말은 언젠가 꼭 들통나기 마련이다. 선의의 거짓말이 들통나게 된다면 타인에게 힘이 되지 않을 뿐더러 믿었던 마음이 실망감과 절망감으로 바뀔 수 있다.

번호	찬성	반대	시간	비고
1	1토론자 입론		3분	
2		1토론자 반박	3분	
3	협의시간		2분	.
4	2토론자 반박		3분	
5		2토론자 반박	3분	
6	협의시간		2분	
7	3토론자 최종정리		3분	
8		3토론자 반박	3분	
9	협의시간		2분	
10		4토론자 최종정리	3분	
11	4토론자 최종정리		3분	
			30분	

"선생님, 제가 할 말도 우리 측 3토론자와 똑같아요."

나도 토론 아카데미에서 반대 측의 마지막 토론자로 나설 때 마주했던 상황인지라 예측을 했지만, 아무튼 정해진 대로 진행할 수밖에 없었다. 마지막으로 찬성 측의 4토론자는 최종정리를 하는데, 토론을 지켜보는 나와 학생들 모두가 찬성 측으로 기울고 있다는 느낌을 받았다.

내가 옆에서 지켜보고 있었는데, 반대 측 4토론자의 말이 이해가 되었다. 같은 측에서 연달아 반박을 해야 하는데, 새로운 반박을 내세우기가 쉽지 않은 것이다. 다음부터는 토론의 형식을 달리해야겠다는 생각이 들었다.

그래서 3:3으로 하면서 순서를 달리했다. 지금까지 사용하는 기본적인 토론의 전개 방식이다. (토론 연구회 선생님들과 의논을 하여 바꾼 명칭이

번호	찬성	반대	시간	비고
1	1토론자 입론		3분	
2		1토론자 반박	3분	
3	협의시간		2분	
4	2토론자 반박		3분	
5		2토론자 반박	3분	
6	협의시간		2분	
7	3토론자 최종정리		3분	
8		3토론자 최종정리	3분	
			22분	

있다. 찬성1 토론자와 반대1 토론자의 발언이 끝나면 2분간 팀별로 회의를 하는 시간
이 있는데, 처음 사용했던 명칭은 '작전시간'이었다. 그런데 지금은 '협의시간'이라는 명
칭으로 사용하고 있다. 한결 차분해지는 명칭이다.)

　　5월의 토론은 세 번째 토론 학습 시간이었는데 교과 진도상 4월 24
일에 진행했다. 국어 교과서 3단원에 '게임중독의 덫'이라는 글이 있어
서 토론의 논제를 '셧다운제는 시행하지 말아야 한다.'로 정했다. 그리
고 교내 수업 연구도 이 단원의 토론 수업으로 하기로 했다. 이번에는
학생들에게 미리 논제에 대한 정보를 제공했다. '셧다운제'에 대한 토론
은 서귀포시 교사 토론 아카데미를 할 때 미리 읽어보았던 것이어서 이
자료를 학생들에게 나누어 주었다.

　　토론의 형식은 그대로 3:3으로 하기로 하고 모둠 편성도 다시 했다.
우리 반은 21명이니까 지금까지 했던 토론 모둠을 바꾸어서 3명씩 한
팀을 구성하기로 했다. 두 번의 토론을 보면서 학생들의 수준이 어느
정도 파악이 되었다. 그래서 말하기를 잘하는 학생 7명을 미리 정하고

그 7명에게 한 명씩 학생들을 뽑아서 3명씩 한 팀을 만들도록 하여 각 팀이 비슷한 전력이 되도록 했다. 모둠원이 잘 짜여져서 만족하는 학생들도 있었고, 모둠원이 마음에 들지 않는다며 불만인 학생들도 있었지만, 대체로 수준이 비슷하도록 짜여졌다.

먼저 찬성 측부터 말하기를 하는데, 입론을 아주 잘해서 좋은 출발을 보였다. 그리고 반론도 준비를 잘해서 시작이 좋았다. 그런데 마지막 3토론자 학생이 그만 아무 말도 못하는 바람에 한 학생이 두 번 발언하는 일이 생겼다. 모둠의 한 학생이 자원해서 발언을 하겠다고 해서 그런대로 수업이 잘 마무리가 되었지만, 마음속에 아쉬움은 남았다. 아직도 토론의 수준 차가 아주 크다는 것을 느꼈다.

6월이 되니 학생들이 다시 토론 수업을 해 달라고 했다. 국어 교과서와 관련해서 토론의 논제를 찾으려고 했는데 적당한 것이 없어서 이번에는 토론이 아닌 주장하는 말하기와 듣기로 했다. 논리적인 근거로 말하는 훈련을 하는 것이 목적인지라 토론과도 조금 통하겠다는 생각이 들었다. 그래서 '학교생활에서 나타나는 문제에 대한 나의 주장'이라는 글을 쓰고 발표하는 시간을 가졌다. 당연히 듣는 학생들은 내용을 요약하면서 들었다.

학습지는 앞면에는 주장을 전개하는 글을 쓰고 뒷면에는 들은 내용을 요약하여 적는 것으로 만들었다. 뒷장 맨 밑에는 친구들의 주장을 들은 전체적인 느낌을 정리하도록 했다. 그리고 말하기, 듣기가 아우러져야 하므로 전체 학생이 한 명씩 나와서 발표를 했다. 학생들은 주로 교복, 핸드폰, 성적, 청소 등의 문제를 발표했다.

1학기에 토론 수업을 하면서 깨달은 것은 말하기와 듣기는 별개의 것이 아니라 하나로 지도해야 한다는 것이다. 즉 일방적으로 말하게 할 것이 아니라, 나머지 학생들은 들어서 기록하게 하는 것이 효과적인 학

학교생활에서의 여러 문제에 대한
나의 주장

2012년 ( )월 ( )일	( )학년 ( )반 이름 ( )

나는 여름에 교복(하복) 대신에 반팔티에 조끼만 입었으면 좋겠다.

일단 우리 학교는 학생수가 적어서 교복을 파는 곳이 별로 없고, 이제 여름
교복은 몇 달만 입으면 끝인데, 하복을 새로 사려고 하니 3만원이 넘어서
아까운 생각이 든다. 그래서 흰티에 조끼만 입었으면 좋겠다.

흰티에 조끼를 입으면 교복만큼 단정해 보인다. 체육복을 갈아입을 때에도 편하다.
하복은 속에 비쳐서 반팔티를 입어야 하니깐 덥고, 민소매를 속에 입으려니
안이 비쳐서 야해 보인다. 또 겨드랑이 나면 너무 티가 확 나고, 교복이 몸에 끼게
만들어져서 활동하기에도 불편하다. 남학생들의 하복은 헐렁헐렁하여 활동하기가
편한데, 여학생 하복은 꽉 끼게 만드니 성차별같이 느껴진다.

우리반 여학생들은 활동하기를 좋아한다. 반팔티를 입게되면 통풍도 잘 되어,
더위에도 활동하기 편할 것이다. 또 활동을 하면서 겨드랑이 나도 별로 티가 나지
않아서 좋다. 안이 잘 비치지 않으니, 하복만큼 신경이 쓰이지 않을 것이다.

또한 하복은 자라나는 우리들의 체형에 맞추어주지 않는다. 어제 내 하복을
보니, 늘릴 수 있는 여유분이 없었다. 만약 반팔티였다면 신축성이 있으니깐
계속해서 입을 수 있을 것이다.

나는 반팔티를 입는 것이 하복만큼 단정해 보이고, 활동하기에도 편하며,
가격도 싸기 때문에 흰반팔티를 입는 것이 좋다고 생각한다.

이 반팔티는 겨울에도 교복속에 입을 수 있으니, 활용도가 좋다. 학교에서
하복 대신 반팔티를 입게 했으면 좋겠다.

친구들의 주장에 귀 기울여
메모하며 듣기

번호	이름	문제점	주장(해결책)	나의 평가
1		3학년의 공부	성적이 뒤바뀌었음 좋겠다.	중
2		3학년의 하루	정신 없이 TV 보면서 시간 뺏김.	중
3		교복 단속	3학년은 교복단속을 하지 X	중
4		교복이 불편해졌다.	교복 대신 흰티를 입자.	상
5		우리나라 교육 현실	교육 정책을 바꿨으면 좋겠다. 스트레스가 많다.	상
6		하복을 흰티셔츠로 입어요해.	교복을 파는데가 없다. 돈이 아깝다. 3개월 밖에 못입는다.	상
7		하복 와이셔츠	하복 와이셔츠 대신 흰티를 입는게 낫다.	중
8		3학년의 하루	하루일과, 하루가 허무하게 지나간다.	상
9		흰 티셔츠 입기	와이셔츠 불편. 돈이 많이 듦.	중
10		우리나라 교육 현실	공부, 스트레스→자살 교육 정책 바꿨음 좋겠다. 교육 방식 바꿔라.	상
11		하복과 니트 불편하다.	3학년 와이셔츠 입지 않아도 괜찮다다. → 흰 티셔츠로 대체.	상
12		휴대폰을 걷는다.	휴대폰을 안 걷었음 좋겠다.	중
13		3학년의 공부	시험이 너무 많다. 스트레스 받는다.	상
14		고민이 많다.	고민들을 어떻게 풀어나가야 할지 고민이야.	상
15		3학년 고민	공부 때문에 걱정 거리가 많다.	상
16		3학년의 공부	성적에 대해 걱정거리가 많다.	상
17		3학년의 공부	진학 스트레스, 환경적응, 부담감, 열심히 살아야겠어.	상
18		학교 하복대신 흰티셔츠	3학년이니 아깝다. 돈 부담...	우수
19		보충 수업	시간 적 여유가 없다. 정신적으로 힘들다.	상
20		3학년의 공부	고등학교에 대한 고민 떨어지는 성적	상

친구들의 주장을 들은 종합적인 평가

우리반 애들의 주장을 들어보니 전부 나와 같은 고민과 생각을 갖고 있었다고 느꼈다. 그래서 내가 덜 힘들 것 같다. 그리고 서로 공감이 되니 고민이 조금은 줄었다. 나에 대해서 곰곰히 생각 하고 고민해 봐야겠다.

시대 상황이 느껴지는 당시 아이들의 고민이다.

습이라는 것이다. 주장과 근거를 요약하면서 들으면 듣기에 더 집중해서 학습의 태도나 효과가 커진다는 것을 느꼈다.

이전에는 국어과 수행평가 영역에서 학습태도 평가를 위해 교과서나 학습지를 검사했었는데 지금은 토론 수업 학습지나 글쓰기 학습지로 대신하고 있다. 수업이 끝나는 대로 걷어서 빈칸이 없는 학생들은 만점을 주고 있다. 말하기와 듣기와 쓰기가 동시에 해결되는 평가라는 생각이 든다.

2학기에도 한 달에 한 번 토론 학습을 해 나갈 생각이다. 학생들도 토론을 하면서 말하기의 즐거움을 느끼고 있고, 서로의 생각을 확인하는 과정에서 자신의 생각을 더 발전시켜 나가는 학습을 하게 될 것이다.

나는 2012 교사 토론 아카데미(여름방학)에서 나의 토론 수업 사례발표를 했다. 그 이후로는 혼디모영토론교과연구회 활동에 꾸준히 참여하면서 토론을 가까이하고 있다.

Ⅲ

토론
하기
- 입론과 반론

말하기와 주장하기

우리의 생활에서 하루라도 말이 없는 모습을 상상해 보자. 모두가 입을 다물고 무표정한 얼굴로 자기 할 일을 하는 모습은 마치 로봇들이 일하는 모습과 같을 것이다. 이런 사회에서는 어떠한 변화도 일어날 수 없으며 일어나서도 안 된다. 말이 없으면 생각이라는 것도 있을 리 없고, 있다고 해도 즉흥적인 한두 가지의 감정과 관련된 생각뿐일 것이다. 마치 원시 사회의 모습과 같지 않을까. 말이 없는 원시 사회의 모습에서 우리의 목표는 그날그날 굶주리지 않고 생존하는 것으로 정해져 있을 것이다. 여기에는 생명의 존엄이라는 가치나 인간 존중이라는 배려의 덕목도 있을 수 없다. 사람이 죽고 사는 것도 하늘의 뜻에 달린 것으로만 여길 것이다.

현대 사회를 살아가는 우리의 모습은 어떤가? 집에서도 학교에서도 말을 통해 생각을 나누고, 서로에 대해 알아가게 된다. 말이 없이 사는 모습을 상상하기조차 어렵다. 따라서 말을 잘하는 것이 우리 모두를 위해 필요한 것이 되었다. 말을 잘해서 나를 잘 표현하고, 상대의 말을 잘 들어서 서로 생각을 조율해나가는 것이 필요한 것이다. 그래야 건강하

고 평화로운 사회가 될 테니까.

우리 주변에는 많은 사람들이 모여 있다. 말이 많은 사람, 말이 없는 사람, 말을 잘하는 사람, 말을 막 하는 사람 등 다양한 사람들이 있다. 그런데 우리가 가까이하고 싶은 사람은 어떤 사람일까? 이 중 어떤 사람이 우리 주변에 많이 있기를 바랄까?

'고기는 씹어야 맛이고 말은 해야 맛이다.'라는 속담이 있다. 이 말은 생각이 있으면 생각을 말로 표현해내라는 말이다. 생각을 말로 표현하지 않으면, 아무도 나의 생각을 읽어서 알아주지 않을 테니까. 그리고 말이라는 것도 자꾸 표현하는 연습을 해야만 느는 것이다. 어느 날 갑자기 조리 있는 말들이 술술 나올 리가 없다. 말을 잘하기란 참으로 힘든 일이다. 평소에 연습이 필요하다. 언제 어느 자리에서도 자기가 하고 싶은 말을 잘 할 수 있도록 말하기 연습을 해야 한다.

그런데 어떤 말들을 해야 할까? 우리 주변에는 다양한 말하기의 형태가 존재한다. 가정에서나 학교에서 가장 흔하게 주고받는 친교의 말하기도 있고, 어떤 문제를 해결하기 위한, 주장하는 말하기도 있다. 그냥 편하게 친교의 말만 주고받으면서 생활할 수 있으면 좋겠지만 우리가 사는 세상은 그렇지 않은 것 같다. 왜냐하면 세상은 다양한 현장 속에 다양한 사람들이 살아가는 곳이기 때문이다.

세상의 모든 변화 속에는 반드시 크고 작은 문제가 담겨 있다. 우리는 이 문제들에 대하여 더 나은 개선책을 찾아내고 해결하려는 노력을 기울여야 한다. 우리가 사는 가정과 학교, 사회에서 우리는 주변의 문제를 해결하려고 노력해야 한다. 그렇게 하려면 말을 통해, 대화를 통해 해결책을 이끌어내야 한다.

가정의 모습을 돌아보자. 부모님은 자식들을 위해 일을 하고 바르게 성장하도록 뒷바라지를 한다고 한다. 그런 부모의 마음이 자식들에

게 제대로 전달이 되고 있다면 아마 자식들은 부모의 바람대로 바르게 성장할 것이다. 그런데 가만히 보면 가정에서 부모와 대화의 단절을 겪는 학생들이 많은 것 같다. 그러면서 학생들은 '우리 엄마와는 말이 안 통해요.'라고 변명을 한다. 말이 안 통한다는 것은 모든 갈등의 시작이 되는 큰 문제이다.

그런데 과연 말이 안 통하는 것이 아빠와 엄마 때문인지는 곰곰이 생각해 볼 일이다. 아빠와 엄마가 자식과 이야기하기를 싫어해서 말을 안 하는 것인지, 아니면 아빠와 엄마가 하는 말을 자식인 학생이 듣지 않아서 아빠와 엄마가 말을 안 하는 것인지를 말이다. 그리고 우선은 내가 부모님을 설득하는 말을 제대로 하지 못하는 것이 아닌지 생각해 보아야 한다.

수업 시간을 예로 들어보자. 선생님은 열심히 설명을 하고, 학생들은 가만히 앉아서 듣고 있다. 그런데 그냥 '강 건너 불구경하듯' 하는 학생들도 있다. 구경꾼이 되어서 수업을 듣는 학생들은 당연히 그 수업 시간의 문제를 해결하지 못할 것이다. 반대로 귀 기울여 들으면서 동시에 문제를 찾아내는 학생이 있다면, 그 학생은 수업 시간의 주인이 되고, 당연히 학습을 제대로 해낼 것이다. 그리고 그런 학생은 자신만 이롭게 하지 않고 많은 질문을 함으로써 다른 학생들에게도 수업에 참여해야 함을 일깨워 줄 수 있을 것이다.

그렇게 활발한 질문과 대답이 이어지는 교실을 우리가 만들어야 하지 않을까?

입론하기

입론이란 '주장을 논리적으로 내세우는 것'이다. 주장의 목적은 생각이나 행동이 바람직하게 변화하도록 설득하는 것이다. 그런데 다른 사람을 설득하기는 그리 쉬운 일이 아니다. 왜냐하면 사람들은 저마다의 생각과 습관을 지니고 있어서 그것을 쉽사리 버리지 못하기 때문이다. 바꾸어 생각하면 나조차도 잘 바뀌지 않고, 바뀌기를 두려워하는 것 같다.

그래도 끊임없이 문을 두드리며 바람직한 생각과 행동을 하도록 설득하는 노력을 해야 한다. 그러기 위해서 주장을 할 때에는 생각이나 행동의 변화가 일어나도록 논리적으로 말을 해 나가야 한다. 듣는 사람이 고개를 끄덕이며 인정할 수 있는 주장을 펼쳐야 한다는 것이다. 그렇게 하려면 말의 구성에 있어서 짜임새를 갖추고 있어야 한다.

> 지금 이러저러한 문제가 있는데, 이 말의 뜻은 이런 것입니다. 저는 이렇게 해결하는 것이 좋다고 생각합니다. 그 이유는 첫째 무엇입니다. 왜냐하면 그렇게 되기 때문입니다. 예를 들어 이런 일이 있습니다. 둘째, 무엇입니다. 왜냐하면 그렇게 되기 때문입니다. 예를 들어 이런 일이 있습니다. 셋째, 무엇입니다. 왜냐하면 그렇게 되기 때문입니다. 예를 들어 이런 일이 있습니다. 저희는 이 세 가지 이유를 들어 이렇게 해결하는 것이 좋다는 것을 다시 한번 말씀드립니다.

위에서 말한 것을 정리하면 입론은 다음과 같은 구성을 하게 된다.

문제 제기

주장은 상대방을 설득하는 것이고, 설득의 목적은 바람직한 생각이나 행동을 하도록 하는 것이다. 이 말은 지금 현재의 상태는 그렇지 않으니까 그렇게 바꾸도록 하겠다는 뜻이다. 우리가 주장을 내세울 때에도, 현재 어떤 문제가 존재하고 있다는 것을 밝혀주어야 한다. 우리는 이러이러한 문제에 직면했다고.

학생들과 가정에서 부모와의 마찰이 일어나는 경우에 대해 대화를 나눈 적이 있다. 많은 학생들이 열심히 공부를 하고 있는데 엄마가 '공부 열심히 해라.'라고 하면 기분이 나빠진다고 했다. 그리고 공부를 하

다가 잠깐 쉬려고 책을 덮었는데 엄마가 공부를 왜 안 하냐고 했을 때 공부하고 싶은 마음이 멀리 달아난다고 했다.

"엄마는 알지도 못하면서."

어떤가? 학생의 입장으로 볼 때 그 말은 타당하다. 당연히 화가 나서 하던 공부까지 안 하고 싶을 것이다. 자기 생각에는 공부를 열심히 하고 있어서 엄마가 '공부 열심히 해라.'라는 주장을 할 만한 문제가 없는데, 엄마가 문제 상황이 있는 것처럼 말을 하니까 제대로 받아들이기가 어려운 것이다. 토론은 문제 상황을 해결하기 위한 말하기니까, 문제 상황이 있다는 것을 받아들여야만 주장에 귀를 기울일 수 있다.

만약 학생이 놀고 있다면, 컴퓨터에 빠져 있다면 엄마의 주장은 정당하게 받아들일 수 있는 말이 되는 것이다. 문제가 있다는 것을 인정할 수 있게 되니까. 놀고 있던 학생이 엄마의 주장대로 따라가는지는 그다음의 문제이다. 토론의 시작은 언제나 현재의 문제를 짚어주는 것에서 출발한다. 그것을 밝혀야만 듣는 사람들이 들을 준비를 하고 주장에 귀를 기울일 수 있다.

흔히 담임 선생님이 하는 말을 잘 들어보면 주장하기에 앞서서 문제를 말하는 것을 볼 수 있다.

'요즘 수업 시간에 떠드는 아이들이 많은 것 같다.'
(분명 그다음에는 '수업 시간에 조용히 해야 한다.'라는 주장을 할 것이다.)
'요즘 학교에 늦게 오는 아이들이 있어.'
(당연히 그다음에는 '학교에 일찍 나와야 한다.'라는 주장을 할 것이다.)

토론에서 처음 논제의 문제를 제기하고 주장을 내세우는 사람은 논제에 담긴 의미를 제대로 풀이해 주어야 한다. 사공이 많아도 토론이 산으로 가지 않도록 중심을 잡아주는 역할을 하는 것이 바로 개념 정의이다.

논제를 잘 분석했는가를 알려주기도 하는데 입론을 하는 사람은 논제에 쓰인 개념을 잘 풀이하여, 같이 토론을 하는 사람들에게 등대의 역할을 해야 한다. 이러한 개념 정의가 잘못되는 경우도 가끔 있다.

예전에 서귀포시 청소년토론대회에서 경험한 일이다. 토론의 주제가 '투표는 의무다.'였다. 너무 좋은 주제라는 생각을 했었는데 입론을 쓰는 학생들의 입장에서는 다소 어려울 수도 있겠다는 생각이 나중에 들었다.

이때 우리가 주의해야 할 점이 있다. 논제를 아예 새롭게 만들어버리는 잘못을 범할 수가 있기 때문이다. 대부분의 학생들은 이 논제를 '의무투표제를 시행해야 한다.'로 해석하고 있었다. '투표는 의무다.'라는 말과 '의무투표제를 시행해야 한다.'라는 말은 아주 다른 뜻이 된다. 의무투표제로 해석을 한 경우에 이 토론의 방향이 아예 달라져 버렸다는 것은 뻔하다.

따라서 개념을 정의한다는 것은 논제를 정확히 분석해내고, 거기에 등장하는 용어의 뜻을 정리해주는 것을 말한다. 여기서는 '투표'라는 것과 '의무'라는 것의 의미를 정리해주면 될 것이다. (우리 측은 '투표는 의무다.'라는 논제에 찬성합니다. 여기에서 '투표'란 '선거에서 투표용지에 자신의 의사를 표현하는 것'을 말하고, '의무'는 '국민으로서 마땅히 하여야 할 일'이라는 뜻입니다.)

또한 개념 정의의 책임이나 의무가 첫 번째 토론자에게 있긴 하지만

그렇다고 해서 일방적으로 자기 측에 유리하게 정의를 내리는 것은 옳지 않다. 토론의 목적은 이기는 것이 아니기 때문이다. 따라서 기본적으로는 사전적 정의를 바탕으로 해서 재해석하는 것이 좋다.

개념 정의를 일방적으로 자기 측에 유리하도록 한정해버리면 어떻게 될까? 단순히 토론에서 이기려는 욕심으로 개념 정의를 일방적으로 내린다면, 그 토론의 참가자들은 제대로 토론을 전개해 나갈 수 없다. 토론의 문제는 이기고 지는 것이 아니다. 토론의 목적은 문제를 해결하는 것이다.

실제로 서귀포시에서 토론을 진행했을 때의 일이다. 논제는 '초등학생에게 만화책은 유익하다.'라는 것으로 초등학생들이 하기에 적당한 논제였다. 이때 찬성 측의 첫 번째 토론자는 '만화책'의 개념이 무엇인지 밝혀야 한다. 대체로 '그림이 주가 되어 이야기가 전개되는 책'이라고 하면 양쪽에 공평한 개념 정의가 될 것이었다. 그런데 그 토론에 참가한 학생은 '글과 그림으로 상상력을 자극하는 책'이라고 정의를 했다.

들으면서 '아차' 하는 위기감을 느낀 순간이었다. 일방적으로 찬성 측에 유리한 개념 정의를 해버린 것이다. '상상력을 자극하는'이라는 말속에서 이미 유익한 것이라는 점을 떠올릴 수 있기 때문이다. 이 경우 토론은 전체적으로 흐지부지될 수밖에 없다. 반대 측은 이미 찬성 측이 어떠한 주장을 할것인지 예상하고 반론을 준비하기 때문에 이런 개념 정의로 진행된 주장에는 제대로 대응할 수 없기 때문이다.

그럴 리는 없겠지만 반대의 경우도 있을 수 있다. 찬성 측이 개념 정의를 하는 것이긴 하지만 '그림으로 된 이상한 내용의 책'이라고 정의한다면 어떻게 될까? 당연히 반대 측에게 일방적으로 유리하게 내용이 전개될 것이다.

이렇게 개념을 정의한다는 것은 토론의 전체 내용을 좌우하는 것이

기 때문에 대단히 중요하다. '상상력을 자극하는 만화책'이라면 그 속에서, '이상한 내용의 만화책'이라면 또 그 속에서 주장이 오고 가야 하는 것이다. 당연히 제대로 된 주장과 반박이 오고 갈 수 없다.

개념 정의는 양측 모두에게 공정한 느낌이 들도록 해야 한다. 그래야만 제대로 토론이 이루어지고, 문제의 해결책을 찾아낼 수 있는 것이니까.

어린 시절 친구들이 소소하게 다투던 때를 생각해 보자. 그때 누구의 잘못인가를 따지면서 꼭 하게 되는 말이 있다.

"내가 언제 그런 말 헨?"(내가 언제 그런 말을 했니?)

지금 생각해 보니, 이것이 바로 토론에서의 개념 정의인 셈이다. 내가 그런 개념으로 말을 한 것이 아니니, 네가 그렇게 행동하는 것은 잘못이라는 것이다. 토론에서는 우리가 '그런 개념'으로 말을 할 것이라는 것을 분명하게 밝혀서, 오해가 없도록(잘못된 내용의 주장들이 오가지 않도록) 해야 한다.

입장 밝히기

토론자가 앞에 서면 모두의 시선이 토론자에게로 향한다. 토론자의 입장이 어떤 것인지를 가장 궁금해하면서. 당연히 입장을 명확히 밝혀 주기를 기대하면서 앉아 있는 것이다. 굳이 입장을 밝히지 않아도 끝까지 들어 보면 알 수 있을 것이라고 생각하는 사람도 있다. 그러나 입장을 밝히지 않으면 듣는 사람들이 애매하고 혼란스러워진다. 그래서 뒤에서 해결책을 제시한다고 해도 그 해결책이 잘 전달되지 않는다.

논제에 대한 입장을 명확히 밝힌 후에 주장을 해야 그 주장이 선명하게 전달되는 것이다. 논제에 대한 찬성이든, 반대이든, 긍정이든, 부정이든 입장을 먼저 명확히 밝히고 주장을 해야 듣는 사람들이 구분을 하면서 듣고 판단할 수 있는 것이다. '이러이러하니까 이러이러해야 한다.'라고 주장하는 것보다 '이러이러해야 한다. 왜냐하면 이러이러하기 때문이다.'라고 하면서 주장을 먼저 밝히는 것이 좋다. 그래야 주장이 더 명확하게 전달된다.

토론을 어렵게 생각하는 학생들은 대체로 입장을 정리해서 말하기를 두려워하는 학생들이다. 이렇게도 생각할 수 있고, 저렇게도 생각할 수 있는데 어느 한 편만 들어서 주장을 하려니까 마음에 걸리는 것이다. 그래서 이도 저도 아닌 중간적인 입장을 취하고 구경하는 편을 택하기도 한다.

수업 시간에 교과서 내용 학습을 하면서 오가는 문답 중에 이런 상황이 흔하다.

> "A와 B 중에서 누가 더 잘못이 큰가요?
> "저는 둘 다 잘못한 것 같아요."
> "그중에 누가 더 잘못이 큰지 생각해보세요."

토론은 두리뭉실한 입장이 아니라, 더 분석하고 따져서 둘 중에 더 나은 하나를 선택하는 것이다. 우리가 동시에 둘 모두를 진행할 수는 없으니까. 그래서 나의 입장은 '고쳐나가기를 원하는 찬성인가?' 아니면 '현재의 상황을 유지하고 싶은 반대인가?'를 밝혀야 한다. 어느 하나를 선택하는 고민을 하고 입장을 밝히는 것이 토론의 서두에서 할 일이다.

교실 토론에서는 찬성 측도 되었다가, 반대 측도 되었다가 역할을

바꿔가는 것이 더 좋다. 우리가 지금 하는 토론은 학습을 위한 토론이기 때문이다. 따라서 토론학습에서의 주장이 반드시 나의 입장과 일치한다고 볼 수 없다. 토론을 듣는 학생들은 반드시 이 점을 염두에 주고 들어야 한다. 또 토론에서는 미리 찬성과 반대의 입장을 정하지 않는다. 토론장에서 찬성과 반대를 선택하게 되는 것이다.

토론을 하는 학생들은 찬성과 반대 이유를 모두 잘 조사하여 알고 있어야 한다. 내가 찬성인지 반대인지를 미리 알 수 없으니(설령 미리 알고 있다고 하더라도) 찬성 측이 제시할 이유들을 먼저 정리하고, 그에 따른 반대 측의 반박을 마련해두어야 한다.

주장하기

'그래서 하라는 말이야? 말라는 말이야?'

입론의 핵심은 주장하는 것이다. 문제가 있어서, 그 문제를 해결하기 위해서 말하는 것이 주장이기 때문이다. 그래서 토론을 잘 하느냐 못 하느냐 하는 것은 주장하기에서 판가름이 난다. 정말로 토론을 잘하는 사람들을 보면 문제의 핵심을 콕콕 집어서 논리적으로 잘 전개해 나간다. 그래서 토론에서는 말만 잘하는 것이 아니라 문제의 핵심을 잘 찾아내는 논제 분석이 꼭 필요하다고 볼 수 있다.

기본적으로 논제를 잘 찾아냈다고 했을 때, 주장하는 말하기에는 주장과 이유와 근거와 사례가 하나의 세트로 움직여야 한다. 그것들이 잘 짜여서 주장을 뒷받침해줄 때, 그 주장은 비로소 설득력이 생겨나는 것이다.

주장은 짧고 명확해야 한다. 다음의 주장들을 비교해 보자.

> (가) 독서과목을 새롭게 만들어야 합니다. 그 이유는 첫째, 독서가 모든 과목의 학습을 돕는 기초가 될 수도 있는 중요한 과정이기 때문입니다. 다른 과목을 잘 학습하려면 기본적으로 책을 읽어내는 독서 능력이 필요하기 때문입니다.

> (나) 독서과목을 새롭게 만들어야 합니다. 그 이유는 첫째, 독서가 모든 학습의 기초가 되기 때문입니다. 우리가 학습할 것들의 대부분은 글자로 기록되어 있으므로 독서 능력이 곧 학습의 기본이 되는 것입니다. 2010년 8월 17일 방영된 SBS 김미화의 U '책으로 아이를 바꾸자'에서도 독서를 통해 교과 성적을 올린 학생의 예를 소개하며 독서가 학습의 기초임을 강조하고 있습니다.

두 편의 주장 모두 논제는 '독서과목을 새롭게 만들어야 한다.'라는 것이다. 두 편 다 같은 내용의 주장을 하고 있지만, 어느 쪽이 설득력이 있는지는 쉽게 판가름이 될 것이다. 각각의 문장이 제 역할을 하면서 긴밀하게 짜여 있어야만 논리적인 내용 전개가 가능한 것이라는 것을 알 수 있다.

(가)글은 일단 주장하는 문장이 너무 길다. 그래서 인상적이지 않은 애매한 표현처럼 느껴진다. 주장하는 사람이 설득시키려는 의지가 없는 것처럼 보이는 것이다. 또 표현에서 '기초가 될 수도 있는'이라고 가능성을 제시한 것이라서 설득력이 약하다.

학생들이 가장 많이 하는 변명 중의 하나는 "선생님, 그럴 수도 있잖아요."라는 것이다. 학생들이 이 말을 하면 나는 '옳지 이때다.' 하고 논리를 말해 준다.

"선생님이 거짓말을 하면 될까? 안 될까?"

"안 되죠."

"왜? 선생님이 거짓말을 할 수도 있지."

선생님이 거짓말을 할 수도 있다고 말하는 선생님은 '그러면 안 된다.'라는 사실을 인식하고 있기 때문에 '그럴 수 있다.'라는 말을 사용하는 것이라고. 그러면서 논리를 중요하게 생각하는 토론에서는 근거로 사용하기에는 부족한 추측성의 말이라고 일러준다. 우리는 상황마다 같이 배운다.

위에서는 (나)와 같이 말하는 것이 좋다. 이러한 주장(주장의 이유)들이 3개 정도 반복되어 있으면 '독서과목을 새롭게 만들어야 한다.'라는 논제가 설득력을 얻게 되는 것이다. 그럼 두 번째 주장(주장의 이유)과 세 번째 주장을 스스로 만들면서 입론에서의 주장을 연습해보자.

주장은 첫 부분에서 내세우는 것이 좋다. 위에서는 또 하나 표현의 차이가 있다. 두 사람이 똑같은 내용을 말하고 있는데 어떤 사람이 말한 것은 귀에 쏙쏙 잘 들어오고, 어떤 사람이 말한 것은 무슨 내용인지 고개를 갸우뚱거리게 할 때가 있다. 토론의 주장에서도 마찬가지이다. 핵심 문장을 찾기 어렵게 말하거나, 문장이 너무 길거나 하면 듣는 사람은 말의 핵심을 찾아내기 어렵다.

위의 (나) 주장을 다음과 같이 말하면 어떻게 될까?

(다) 2010년 8월 17일 방영된 SBS 김미화의 U '책으로 아이를 바꾸자'에서는 독서를 통해 교과 성적을 올린 학생의 예를 소개하며 독서가 학습의 기초임을 강조하고 있습니다. 독서는 책의 글자를 읽는 것이고, 모든 지식은 글자로 되어 있습니다. 따라서 책을 읽는다는 것은 지식을 습득하는 것입니다. 책을 읽는 것이 학습의 기초가 되는 것이지요.

똑같은 시간을 할애하여 주장을 내세우고 있지만 듣는 사람들에게는 노력한 만큼 전달되지 않는다. 듣는 사람들도 주장의 핵심을 찾기 위해 많은 노력을 한다. 하지만 말을 하는 것은 일회적이기 때문에 핵심이 무엇이라고 집어서 말하지 않으면 듣는 사람들이 찾아내기 어렵다.

따라서 핵심을 짧고 명확한 문장으로 먼저 제시해야 한다. 그래야 듣는 사람들이 쉽게 주장을 찾아낼 수 있고, 이것이 설득으로 다가오는 것이다.

주장: 독서과목을 새롭게 만들어야 한다	
이유 1	독서가 모든 학습의 기초가 된다
근거	학습할 것들의 대부분이 글자로 기록되어 있다.
사례	SBS 방송 '책으로 아이를 바꾸자'
이유 2	가정에서 독서를 할 시간이 부족하다
근거	학교에서는 수업, 하교 후에는 학원 수강 등으로 바쁘다.
사례	우리나라 중학생 주당 학습시간 52시간, 고등학생 70시간(2019. 12. 4. JTBC 뉴스)
이유 3	수업 시간에 독서를 내면화할 수 있다.
근거	질문이 있는 독서로 독서를 내면화할 수 있다.
사례	히틀러도 독서광이었으나 편협한 혼자만의 독서로…

최종발언에서의 마무리와 입론에서의 마무리는 개념이 다르다. 최종발언은 자기 측의 입장을 총정리하는 마무리 부분이니까 요약과 함께 주장을 꿰뚫는 관용표현 등의 인상적인 마무리가 필요하지만, 입론의 마무리는 그렇지 않다.

입론의 마무리는 자기가 이야기한 3가지 주장에 대한 마무리이기 때문에 길게 하지 않는 것이 좋다. 이미 본론(주장하기)에서 주장의 3가지 이유를 차근차근 전개했으므로 간략하게 마무리하면서 인사를 하면 될 것이다.

> "우리 측은 이러이러한 세 가지 이유를 들어 '독서과목을 새롭게 만들어야 한다.'라는 논제에 찬성합니다. 감사합니다."

논박하기

입론하기는 찬성 측이 하는 것이다. 그렇다고 해서 찬성 측만 입론이 필요한 것은 아니다. 입론이란 말은 논리적으로 주장을 내세우는 것이기 때문이다. 따라서 찬성 측이든 반대 측이든 모두가 '논리'라는 무기를 가지고 주장을 내세워야 한다. 반대 측 역시 논리를 가지고 찬성 측의 주장을 무너뜨려야 한다.

7월 3일에 제주학생토론왕 선발을 위한 서귀포시 초등 토론대회(지금은 없어졌다.)가 있었다. 이솝우화인 '토끼와 거북이'에서 경기 중 잠자는 토끼를 깨우지 않고 혼자 달려 우승을 한 거북이의 행동에 대해 생각하는 것이었는데, '거북이의 행동은 비난받아야 한다.'라는 논제였다.

토론대회에 판정관으로 참여한다는 것은 참으로 행복한 일이다. 토론에서 오고 가는 논리적인 말들을 듣고 있으면 내가 많이 배우는 느낌이 들기 때문이다. 토론을 하기 전에는 모두가 나의 논리가 최고라고 생각한다. 왜냐하면 최선을 다해 토론 준비를 해 오기 때문이다. 나 역시 미리 논리적인 주장과 반박에 대해 예상을 하고 토론의 현장으로 간다. '오늘은 어떤 논리들이 대결을 할까?'라는 기대감으로 설레면서.

'거북이의 행동은 비난받아야 한다'라는 논제에 대한 찬성 측의 주장은 다양했다. '승리만 생각하는 이기적인 행동이다', '정정당당하지 못하다', '홧김에 경주를 신청했다', '깨워서 공동우승을 할 수 있었다.' 등의 의견들이 나왔다. 그런데 여기에서 '홧김에 경주를 신청했다.'라는 주장과 '깨워서 공동우승을 할 수 있었다.'라는 주장은 조금 신선했다.

그리고 저 주장에 어떠한 답을 할까 궁금해지고 토론이 점점 재미있어졌다. '홧김에 경주를 신청했다.'에 대해서는 '먼저 시비를 걸어 화나게 만든 것이 토끼다. 시작이 없으면 끝이 없다. 토끼가 먼저 시작한 것이다.'라고 반박을 해서 제대로 응수를 했다.

놀라운 것은 '깨워서 공동우승을 할 수 있었다.'라는 주장에 대한 반박이었다. 비난을 받아야 하는 이유가 이기적인 행동 때문이라면 '공동우승을 하면 된다.'라는 주장은 상당한 설득력을 가지기 때문이다. 어떻게 반박을 할까?

우리는 '토끼와 거북이'를 읽어서 토끼의 성격을 잘 압니다. 거북이를 놀리며, 자만하며 잠을 잔 토끼를 깨운다면 과연 토끼는 "그래, 고마워, 우리 같이 가자."라고 할까요? 그렇지 않을 것입니다. 혼자 쌩하니 달려가서 혼자 우승을 할 것입니다. 공동우승은 가능하지 않습니다.

여기에서 나는 '논증이란 이치에 맞게 차근차근 생각하는 것이구나.'라는 것을 한번 더 배웠다. 만약 내가 논박을 했더라면 이랬을 것이다.

경기란 원래 승패를 가리기 위한 것입니다. 지금 열리는 브라질 월드컵 경기를 보십시오. 승패가 나지 않으면 연장전을 하고, 연장전에도 승패가 나

지 않으면 승부차기까지 해서 승패를 가릅니다. 토끼와 거북이의 경주도 원래 승패를 가리지 위한 것이지 공동우승을 위한 것이 아닙니다.

어느 쪽이 더 설득력이 있는지는 알 것이다. 우리는 반드시 논증의 구조를 배우고 꼭 그대로 익혀야 하는 것은 아니다. 왜냐하면 논증의 목적은 설득이기 때문이다. 초등학생의 논박이 더 설득력이 있는 것을 보면 논증의 방법도 꽤나 다양한 것이다. 따라서 우리는 논리적인 생각하기, 다양하게 생각하기, 집중하기 연습을 많이 해 보아야 한다.

그래서 나는 또 하나 토론에 대해 배운다. 초등학생에게서.

다음은 내가 제주도 고등학생들의 토론에서 판정을 할 때 들었던 한 학생의 주장이다. 당시 논제는 '제주도를 방문하는 관광객들은 입도세를 내야 한다.'였다. 이 주장을 보고 반박할 수 있는 방법을 연습해보자. 반박의 방법은 여러 가지이다.

우리 측은 입도세를 내야 한다는 입장입니다. 관광객은 2018년 상반기 706만 명으로 이들이 남긴 쓰레기를 66만 명 도민들의 세금으로 처리해야 한다는 것입니다. 제주도 주민의 열 배가 넘는 관광객들이 만들어낸 쓰레기가 쌓여 처리난이 심각합니다. 이 쓰레기의 처리 비용을 확충하기 위해서도 입도세가 필요합니다. 쓰레기는 관광객이 남긴 것이니까 당연히 과세의 원칙 중, 원인자부담 원칙에 따라 제주도의 쓰레기 처리 비용의 일부를 관광객들도 지불해야 합니다.

① 제주도 인구수와 관광객 수 비교가 정확한가?

② 쓰레기가 쌓여 있는 원인이 무엇인가?

③ 과세기준에는 원인자부담 원칙만 작용하는가?

④ 개인의 자유를 구속하는 부작용은 없는가?

⑤ 다른 대안은 없는가?

주거니 받거니

가끔 찬성 측이 잘못된 주장을 하는 경우도 있다. 이 경우에 반대 측은 찬성 측이 잘못된 주장을 내세우고 있다는 것을 토론 과정에서 말해야 한다. 찬성 측에게도 판정관에게도 잘못된 것임을 알려주어야 하는 것이다. 그래야 찬성 측은 자신들의 잘못된 주장을 바르게 고쳐서 다시 말할 수 있고, 그래야 토론의 목적인 '문제해결'을 달성하는 것이다. 혹시 찬성 측이 주장을 고치지 않더라도 청중(판정관들)에게는 잘못된 것임을 알려야 한다.

어떻게 알릴 수 있을까? 직설적으로 비난하는 말을 하면 토론이 말싸움을 하는 것으로 비칠 수도 있다. 그럼 그 토론을 진행한 사람이나 지켜본 사람이나 모두 답답한 마음이 들 것이다. 문제를 해결하는 것이 아니라 문제가 더 커지는 것만 확인한 느낌이 들 것이니까.

나도 가끔 그런 경우가 있었는데 기적의 도서관에서 어린이용 토론 책을 읽다가 눈이 확 밝아지는 내용을 보았다. 토론은 바로 이런 것이 아닐까 하는 생각까지 들었다. 역사적인 이야기이다.

초나라 왕은 제나라가 마음에 들지 않아서 사신으로 오는 안자를 골려주려고 성문을 닫고 개구멍만 열어두었다. 안자는 초왕의 의도를 당

연히 알아차렸지만 화를 내지 않고 상대가 바르게 행동하지 않으면 안 되도록 상황을 만든다. 안자는 당황하지 않고, 모두가 들을 수 있도록 큰 소리로 말한다.

"사람이 사는 초나라에 왔는데 사람이 다니는 성문은 닫혀 있고, 개가 다니는 개구멍 문은 열려 있으니, 이 나라는 초나라가 아니라 개나라일 것이다."

만약 이때 안자가 그대로 돌아가도록 내버려두면 어떻게 될까? 성문을 열지 않으면 정말로 초나라는 개나라가 될 수밖에 없는 상황이 된 것이다. 결국 초나라 왕은 성문을 열어준다. 여기에서 오고 간 왕과 안자의 추리를 살펴보자.

초나라 왕	제나라 안자
전제 1. 사람은 성문으로 출입한다. 2. 개는 개구멍으로 출입한다. 3. 안자는 개구멍으로 출입한다 4. 안자는 제나라 사람이다.	**전제** 1. 사람은 성문으로 출입한다. 2. 개는 개구멍으로 출입한다. 3. 성문은 닫히고 개구멍만 열려 있다. 4. 초나라 사람들은 개구멍으로 출입한다.
결론: 제나라 사람들은 개다.	결론: 초나라 사람들은 개다.

여기에서는 '눈에는 눈, 이에는 이'의 방식으로 반박을 한 경우들이다. 그래서 더욱 통쾌한 느낌이 드는 반박이다. 잘못된 주장을 한 쪽은 '누워서 침 뱉기'를 만들어낸 상황이 되는 것이다. 어쨌든 우리는 어떤 상황에서든 침착하게 상황을 파악하고 제대로 반박하여 상황을 개선해 나가도록 노력해야 한다.

상대의 일방적이고, 잘못된 주장에 대해, 우리가 안자처럼 반박을 한다면 우리들의 토론은 감정 싸움에 빠지지 않아서 더욱 풍성해질 것이다. 또한 토론의 논제인 많은 문제들이 바르게 해결될 수 있을 것이

다. 평소에 주변의 문제들에 대한 다양한 시선과 해결책들을 생각하는 습관이 되어 있어야만 가능한 반박이다.

책임 있는 토론

토론은 협력적인 말하기가 아니라 대립적인 말하기라는 것은 모두가 아는 사실이다. 토론은 '논리'라는 무기를 들고 싸움을 벌이는 싸움판이다. 그리고 그 싸움판은 클수록 좋다. 싸움판이 커지려면 맨 처음 싸움을 일으키는 입론자가 제 역할을 잘 해야 한다. (그런데 이때의 싸움은 논리의 치열한 싸움이지 물리적인 부정적인 싸움이 아니다.)

'손바닥도 마주 쳐야 소리가 난다.'라는 말은 토론에서 새겨들어야 한다. 입론자가 손바닥을 높이 들고 있어야 반대 측 손바닥과 부딪히며 큰 소리가 나는 것이다. 그런데 찬성 측에서 손을 낮게 들거나 방향을 다른 곳으로 해서 든다면 반대 측의 손바닥은 향할 곳이 없다. 즉, 싸움이 일어나지 않는, 소리가 나지 않는 상태가 되는 것이다. 그런 토론이 무슨 소용이 있겠는가?

입론자와 찬성 측은 입증을 해야 하는 토론에서의 가장 큰 책임을 지고 있다. 자기 측의 주장이 옳다는 것을 증명할 책임이 있는 것이다. 그러니 논제를 해결할 수 있는 가장 핵심적인 주장들을 찾아내고 논리적으로 표현하여 설득시켜야 한다. 찬성 측은 이미 제기된 문제 상황들을 해결하기 위한 방법들을 제시하는 것이다. 그런데 문제 상황을 얼버무려 말하면 그 문제는 해결이 되는 것이 아니라 그냥 묻히게 되는 것이다. 곪아서 터질 때까지.

입론자의 역할에 따라 토론의 성과가 좌우되므로 입론자는 토론과

정 전체에 끼치는 영향을 고려하여 충분히 사전 준비를 해 와야 한다. 토론자 중 유일하게 미리 준비해 올 수 있는 사람이니까.

그리고 교실 토론에서도 충분한 학습 효과를 얻으려면 입론을 작성하는 시간을 함께 갖는 것이 좋다. 학생들에게 입론을 만들어가는 과정을 천천히 설명하면서 함께 주장의 이유들을 찾아야 한다. 가끔 자신들의 입론이 비밀이라고 말하는 학생도 있다. 생각지도 못한 주장(이유)을 할 것이라면서 말이다. 하지만 남들이 생각지도 못한 이유는 대체로 작은, 보잘것없는 이유일 것이 확실하다. 그래서 남들은 생각하지 않는 것이다.

토론의 입론은 누구나 납득할 만한 주장이 담겨 있어야 한다.

내가 가르친 학생들 중에서 토론 능력이 뛰어난 학생들이 있었다. 한번은 대회에 출전하는 학생들이 잘할 것이라고 믿고, 그들의 입론을 검토하지 않았다. (그들은 교실 토론에서 늘 입론을 잘 했었으므로) 토론 대회에서 나는 당연히 우리 학교의 학생들은 판정할 수 없다. 토론이 끝나고 판정을 했던 선생님에게 물었다. 우리 학교 학생들이 토론을 어떻게 했느냐고. 그랬더니, 입론이 아주 이상하더라고 말하는 것이다. 아차 하는 순간이었다. 당연히 그 학생들은 예선에서 탈락했다.

우리는 창의적인, 기발한 주장을 원하는 것이 아니다. 보편타당한, 합리적인 해결책을 원하는 것이다.

토론에서는 항상 입론자에게, 반론자에게 요구한다.

"당신이 문제가 있다고 했으니까, 당신이 해결책을 제시하시오."
"당신이 저쪽의 주장이 타당한지 판단해주시오."

인간의 글쓰기

더운 6월의 어느 날, 인터넷 강의를 들었다. '세바시(세상을 바꾸는 15분)'에서 '도전하는 명사들의 꿈과 용기, 열정'이라는 주제로 강의를 하고 있었는데, 일부러 찾으면서 선택한 강의인 만큼 재미도 있고 유익했다. 내용들은 거의 배움을 자극하는 것이고 대동소이했는데, 어느 한 강사의 시작하는 말이 인상적이었다. 그 강사도 자신의 경험을 이야기하고 있었다. 자신이 서울시교육청에서 중고등학생을 위한 특강을 해 달라는 요청을 받고 강의를 한 적이 있다는 것이다. 나는 '저 정도면 학생들의 호응이 대단했겠지!'라고 생각이 들었지만, 그 강사의 말은 뜻밖이었다. 참으면서 5회까지는 하고, 더 이상 할 수 없다고 거절했다고 했다. 학생들의 행복한 생활을 위해 강의를 해 달라고 요청을 받았는데, 강사인 자신이 불행해지는 그런 강의라서 더 이상 진행할 수 없다고 말을 전했다는 것이다.

'강의를 듣는 것이 그렇게 어려운 일인가?'라고 생각을 해 보면 교사인 나도 우리 학교에서 학생을 대상으로 한 특강이 있는 날은 바싹 긴장이 된다. 그 강사가 강의를 잘하지 못할까 봐 걱정이 되는 것이 아니라,

나의 학생들이 집중하지 않아서 강사에게 또는 다른 사람들에게 폐를 끼치지는 않을까 걱정이 되는 것이다. 정작 나는 강의 내용에 집중하지 못하고, 학생들을 살피는 경우가 많다.

그런데 이런 학생들조차 집중하지 않으면 안 되는 시간이 있다. 무슨 시간일까? 그것은 바로 쓰기 시간이다. 쓰기는 절대로 대화하면서, 혹은 떠들면서 이루어지지 않는다. 대화가 끝난 후, 혹은 떠들다가도 진정이 된 다음에라야 쓰기가 시작되는 것이니까. 마음이 들떠 있으면 정리된 글이 써지지 않는 것은 당연하다.

글은 무엇일까? 글이란 통일된 자신의 생각을 정리해서 표현한 것이다. 생각이 정리되고 하나로 통일되는 것이 바로 글쓰기의 기본이 된다는 말이다. 우리가 글쓰기를 배운다는 것은 생각을 정리하는 법을 배운다는 말이다. 글을 잘 쓰려면 어떻게 해야 하는지를 알려주는 말이기도 하다.

생각하기와 생각을 정리하기는 인간만이 지닌 것이라고 생각한다. '쥐라기 월드'를 보면 인도미누스렉스가 등장한다. 그는 당연히 인간이 아닌 공룡이다. 그런데도 내가 '그'라는 표현을 쓰는 것처럼 그는 인간보다 더 인간에 가까운 생각을 지녔다. 자신의 생각만을 가지고 있는 것이 아니라, 남의 생각을 읽어내어 다시 생각할 수 있는 고등의 정신세계를 지니고 있는 것이다. 그래서 여기에서는 주인공도 그를 괴물이라고 표현했다.

인도미누스렉스는 유전자 조작으로 태어난 공룡이라 인간의 특성, 즉 생각하는 능력과 생각을 읽어내는 능력을 지니고 있는 것이고, 따라서 그는 공룡이라는 동물이 아닌 괴물이라는 결론을 이끌어낼 수 있다.

그를 제외하면 당연히 생각하기는 인간만이 지닌 것이다. 그래서 인

간만이 글을 쓴다는 표현도 가능할 것이다. 동물들도 의사소통을 한다고 하지만, 그 소통의 방법이 인간과는 다르다. 그리고 인간의 의사소통 방법인 말하기, 듣기, 읽기, 쓰기 중에서 가장 고차원적인 것이 쓰기라고 할 수 있다. 그러니 인간만이 글을 쓸 수 있는 것이다.

우리 주변에 말을 잘하는 친구들은 많다. 말이란 즉흥적이고 단편적으로 쏟아낼 수 있으니까. 생각을 정리하고 가다듬지 않고서도 말을 하는 사람들도 많다. 특히 10대인 청소년들의 경우는 더 많을 것이다. 오죽하면 북한이 남침을 못 하는 이유가 '중2병'이 무서워서라는 농담까지 생겼을까?

이런 농담을 생각해 보면 중학생 시절에 생각하고 정리하는 능력을 기르는 것이 얼마나 필요한지를 알 수 있다. 따라서 우리는 말하기와 함께 글쓰기 능력을 키우는 데에 열중해야 한다. 인간이 지닌 고등사고 능력이 글로 나타나는 것이니까. 우리는 단편적이기보다는 종합적인 것에, 즉흥적이기보다는 근본적인 것에 힘을 쏟아야 한다.

인간만이 글을 쓴다는 것, 우리는 당연히 인간이고, 인간이 지닌 고유의 능력을 키워나가야 한다.

수업을 진행하던 중에 내가 학생들에게 물었다.

광개토 대왕, 이순신, 을지문덕, 김유신, 계백 장군, 김구, 안중근, 세종 대왕

"위의 우리나라 위인들 중에서 뛰어나다고 생각하는 인물은 누구입니까?"

학생들은 각 인물들에 대해 고민하며 제각각 대답을 한다. 세종 대왕이 위대하다고 말하는 학생도 있고, 이순신 장군이 위대하다는 학생도 있고, 모르는 인물들이 있다고 말하는 학생도 있었다.

> "나는 김구가 가장 위대한 인물이라고 생각해요. 그다음은 이순신이고요."
> "왜요? 나는 국어 선생님이니까 세종 대왕일 거라고 생각했는데."

아차, 맞다. 세종 대왕을 가장 위대한 인물로 꼽았어야 했나? 약간 죄송한 마음이 드는 순간이었다. 하지만 나는 '쓰는 것'의 위대함을 말하고 싶은 순간이었기 때문에 다음 말을 이어나갔다.

"그들을 가장 위대한 인물이라고 한 이유는 그들이 매일매일 글로 기록을 남겼기 때문입니다. 일제강점기 당시, 대부분의 사람들이 독립을 원했겠지만 나는 그들의 생각을 알 수가 없지요. 그런데 김구는 글로 썼어요. '독립만 된다면 나는 우리나라의 문지기가 되어도 좋다.'라고요. 독립에 대한 절절한 염원이 느껴지니까요. 개인의 영광을 위해서가 아니라, 오직 독립만을 바라는 그 심정이 느껴져요. 이순신도 마찬가지지요. 어느 장군이라도 부하의 죽음이 안타까울 텐데요. 이순신은 그 심정을 글로 썼지요. '아끼는 부하가 죽어서 가슴이 찢어지듯이 아프다.'라고요."

나는 글은 위대한 존재라고 생각한다. 학생들도 글로 자신의 생각을 키워나가기를 바라는 마음으로 오늘도 나는 글쓰기를 재촉한다.

나를 알리는 울기

'우는 아이 젖 준다.'

이 속담 역시 어린 시절 나의 어머니에게서 들은 말이다. 나는 어릴 때부터 조금 화가 났을 때에는 침묵하곤 했다. '마음에 들지 않아요.'라고 말하는 대신에 일종의 침묵시위를 한 셈이라고나 할까? 그럴 때, 어머니가 내게 한 말이다.

이 말의 뜻이 무엇인지 아이들에게 물었더니 여러 다양한 대답들이 있었다. 그중에 '울면 안 된다.'라는 대답도 있어서 왜 그렇게 생각하냐고 물었더니 그냥 속담은 교훈을 주는 문장이라서 그렇게 생각했다고 대답한다. 나름대로 유추 해석을 하는 능력이 있는 학생이다. 그럼 이 속담의 뜻은 무엇일까?

이 속담의 뜻은 많이 울라는 것이다. 아이가 자꾸 울면 그 아이를 돌보는 엄마나 가족의 입장은 딱할 것이지만, 사실은 그 아이의 입장에서 보면, 우는 행위는 그 아이를 지킬 수 있는 유일한 방법인 것이다. 그리고 아이의 그런 행동이 아이를 바르게 성장하게 하고, 그것이 가족들에게도 행복을 주는 일이 될 것이다. 그런 의미에서 우리는 많이 울어야 한다. 그런데 과연 우리는 많이 울고 있을까?

우리의 전통적인 교육 방법을 보면 '우는 아이 젖 준다.'라는 속담을 잘못 해석한 학생의 말이 맞을 것이다. 울면 안 되고, 참아야 하는 그런 교육 말이다. 그러나 우리는 울면 안 될까? 교실 수업에서 수동적으로 움직여야 하는 경우엔 학생의 해석이 옳다. 그런데 지금의 교육 방법은 학생들이 많이 울기를 장려하고 있다. 그런데도 지금도 울면 안 된다고 생각하는 아이들이 있다.

우리는 일상생활에서 늘 자신을 바르게 표현해야 한다. 울어야 하는데 가만히 앉아 있으면 아무도 그 사람의 마음이나 생각을 알아채지 못한다. 만약 알아챘다고 해도 정확히 읽어낼 수는 없다. 그래서 오히려 쓸데없는 오해만 만들어내기 십상이다.

침묵은 갈등을 해결하는 것이 아니다. 기껏해야 갈등을 일시로 덮는 것밖에 되지 않는다. 이럴 경우에 그 갈등은 언제든지 다시 폭발할 수 있는 위험한 존재로 남는 것이다. 우리는 차근차근 자신의 마음을 정리해서, 생각을 정리해서 제대로 전달해야 한다.

따라서 우는 연습! 나를 바르게 표현하는 연습이 반드시 필요하다. 내 생각과 느낌을 바르게 전달해서 남이 나를 알아내도록 해야 한다. 그래서 우리는 늘 주장하는 연습을 해야 하는 것이다. '나를 알아주세요.'라고 해서 남들이 나를 알아주면, 나만 좋은 일이 아니다. 나 역시도 나를 표현하면서 남을 알아내려는 노력을 하게 되고, 이런 경우에 서로에 대한 이해의 폭이 넓어지는 것이다.

띄어쓰기 없기

나는 가끔 아이들에게 우스갯소리를 하는 것을 좋아한다. 수업의 딱딱함에서 벗어나야 할 때가 있으니까. 그래서 아이들에게 묻는다.

> 얘들아, 한 집에 '뭉'과 '뭉'이 살고 있어. 이 둘이 싸우면 누가 이길까?

아이들이 다시 내게 묻는다. '뭉'이 무엇이고, '뭉'이 무엇이냐고. 그러면 나는 다시 설명해 준다. '뭉'은 '뭉 쓰는 사람(그냥 아무것도 안 하고 버티는 사람)'이고, '뭉'은 '뭉니, 즉 남이 못 되도록 하는 심술'이라고 말해 준다. 그러면 아이들은 이유를 들면서 각자의 이야기를 한다. 그러면 나는 내 생각도 말해 준다.

> 내가 생각하기에는 아무래도 '뭉'이 이길 것 같아. 결과적으로는 둘 다 망하는 것이겠지만. 아무리 심술을 부리면서 이익을 얻으려 해도 뭉써 버리면 아무것도 없겠지.
> 설마 우리 반에 '뭉'과 '뭉'이 있는 것은 아니겠지?

떼를 쓰는 것은 '뭉'과 비슷하다. 왜냐하면 바꿀 수가 없기 때문이다. 합리적인, 논리적인 사고가 작동되지 않기 때문이다.

'우는 아이 젖 준다.'라는 말에서 우는 아이에게는 젖을 주니까 울어야 한다고 했다. 그렇다면 떼를 쓰는 아이는 어떻게 해야 할까? 우는 것과 떼를 쓰는 것은 같은 걸까?

우는 것은 자신의 생각을 있는 그대로 전달하는 것이라고 볼 수 있다. 이때 우는 것에는 상대방이 반드시 나의 뜻을 따라야만 한다는 강요의 뜻은 없어 보인다. 그런데 떼를 쓰는 것은 조금 다르다. 떼를 쓴다는 것은 자신의 의견을 반드시 들어주어야만 한다는 강요의 뜻이 담겨 있다. 그렇지 않으면 상대방을 귀찮게 하거나 짜증 나게 하겠다는 의도가 담긴 것이다. 똑같은 주장이기는 하지만 우는 것과 떼를 쓰는 것은 확실히 다른 것이다.

우리가 일상생활에서는 어떻게 하고 있는지 궁금하다. 우는 사람인지, 떼를 쓰는 사람인지 말이다.

> 생각해 볼게. 그냥. 아무렇게나. 왜냐하면. 나니까. 나라면. 모순. 무조건. 불합리. 엄마가 그랬어.

위의 단어들을 놓고 실험해 보자. 일상생활에서의 대화라고 생각하고 지정된 단어만 놓고 우는 것인지, 떼를 쓰는 것인지 확인해 보면 내가 어느 유형에 속하는지 알 수 있다.

> 기억: 나는 사과보다 참외가 좋아.
> 니은: 왜?
> 기억: 그냥.

> 디글: 나는 인간은 여행을 통해 성장한다고 생각해.
>
> 리을: 왜?
>
> 디글: 엄마가 그랬어.

우리가 일상생활에서 쓰는 대화 중에 '그냥', '아무렇게나', '나니까', '무조건' 등의 말을 많이 쓰고 있다면 나는 울기보다는 떼를 쓰는 사람이다. 우는 사람은 상대방도 같이 생각하게 만들고, 보다 좋은 방향으로 선택하게 만드는 사람이다. 그런데 '그냥'이라는 말에는 생각하고 선택하라는 뜻이 원천적으로 담겨 있지 않다. 막무가내인 셈이다.

토론을 하고, '보다 나은 나'를 원한다면 우리들의 말하기에서 또는 주장하기에서 떼를 쓰는 일은 절대로 없어야 한다. 떼를 쓴다는 것은 합리적으로 설득하는 것이 아니라 자기 주장만 옳다고 우기는 것이다.

기준을 따른 생각

'아라비안나이트' 이야기 중에서 항아리 속에 갇힌 마신(魔神) 이야기를 다들 알고 있을 것이다.

솔로몬왕에 의해 1,800년 동안 바닷속 놋쇠 항아리 속에 갇혀 있던 마신(魔神) 이야기이다. 그는 100년 이내에 자신을 구해주는 사람이 있으면 그를 평생 부자로 만들어 주겠다고 맹세한다. 100년이 지나도 구해주는 사람이 없자 이번에는 '나를 구해주는 사람이 있으면 이 세상의 숨은 보고(寶庫)를 모두 알려줘야지.' 하고 100년을 기다린다. 400년이 지난 후, 이번에는 '나를 구해주는 사람이 있으면 세 가지 소원을 들어줘야지.'라고 생각한다. 그래도 구해주는 사람이 없자, 화가 난 요괴는 '이제부터 나를 구해주는 사람이 있다면 그놈을 죽이자. 다만 죽는 방법

만은 그놈 소원대로 해주자.'라고 맹세한다.

어부에 의해 항아리 밖으로 나온 마신은 어부를 죽이려고 한다. 그러나 선량한 어부는 마신의 억지 주장에 동의할 수가 없었다. 그래서 마지막으로 당신처럼 큰 거인이 어떻게 저 작은 항아리 속에 있었는지 믿을 수 없다면서 믿을 수 있게 보여 달라고 소원을 말한다. 그러자 거인은 직접 연기로 변하며 항아리 속으로 다시 들어가고, 어부는 재빨리 뚜껑을 닫아버린다.

여기에서 마신의 생각하는 과정을 살펴보자.

> 전제: 나는 내 힘으로 항아리 밖으로 나갈 수 없다. 따라서 누군가가 나를 항아리 밖으로 꺼내 주어야 하고, 그 사람은 나의 은인이다.
> 주장: 나를 꺼내 주는 사람에게는 큰 보상을 해 주어야 한다.

이 주장은 별 무리 없이 보편타당하게 받아들여진다. 자신에게 은혜를 베푼 사람은 당연히 은혜로 갚아야 하는 것이 인지상정이기 때문이다. 이 기준은 변함없이 유지되어야 하는데, 마신의 경우는 그러지 못했다. 마신은 오랫동안 항아리 속에 갇혀 있으면서 위의 기준을 무너뜨린다.

> 전제: 나는 내 힘으로 항아리 밖으로 나갈 수 없다. 따라서 누군가가 나를 항아리 밖으로 꺼내 주어야 하는데 사람들은 꺼내 주지 않고 있다.
> 주장: 나를 꺼내 주는 사람에게는 죽음을 맞이하게 해야 한다.

여기서 자신을 항아리 속에 가둔 사람이 항아리 속에서 풀어주기로 되어 있다면 이야기가 다르다. 그렇다면 100년 안에 꺼내 주면 부자로

만들고, 1,800년 뒤에 꺼내 주면 죽음을 준다는 것이 인과응보의 보편성에 따라 가능하다. 자기에게 해를 가한 사람에게 그에 맞는 해를 가하는 것이니까 말이다.

그러나 어부는 그가 항아리에 있다는 것조차 모르는 상황에서 자신을 구해준 은인이다. 이 경우는 당연히 은혜를 갚아야 하고, 오히려 1,800년의 고통에서 구해주었으니 더 크게 은혜를 갚아야 마땅할 것이다.

이렇게 마신처럼 일방적으로 주장하는 것은 설득력이 없다. 보편타당하게 받아들일 수 있는 기본적인 기준을 갖추고 있어야 비로소 주장다운 주장이 되는 것이다.

주장하는 글쓰기

적극적인 자세

우리는 주어진 주제를 탓하기 전에, 주어진 주제에 대해 글을 쓰고 토론을 할 수 있어야 한다. '저건 너무 어려운 주제야.' 또는 '저건 토론할 가치가 없어.'라고 말하기 이전에 그 주제에 대해 더 생각해 보아야 한다. 내게 어려운 것은 남에게도 어려운 것이고, 만약 나에게만 어려운 것이라면 이 역시 남을 탓할 것이 아니라, 나의 기본을 더 늘리려고 노력해야 한다. 어렵다고, 내 실력이 모자란다고 뒷걸음질 치지 말고, 적극적으로 쓰기와 말하기에 도전해야 한다.

나는 50이 넘은 늦은 나이에 테니스를 배웠다. 나의 아이가 테니스를 배우고 싶다길래(그때 나의 아이는 아마 『내일은 실험왕』이라는 책에 심취해 있

었던 것 같다.) 주말에 테니스장에 태워다 주고 레슨이 끝날 때를 기다리고 있는데, 성인들도 테니스를 배우고 있었다. 그래서 나도 신청을 해서 배우게 되었다. 대학생 시절, 한 달 레슨을 받은 것이 전부라서 처음 배우는 것처럼 느껴졌는데, 너무 재미가 있는 것이다. 그래서 이런저런 고민 없이 테니스를 시작했다. 그런데 몇 년이 흐른 지금, 과연 그때 내가 테니스가 어렵고 힘든 운동이라는 것을 미리 알았다면 테니스를 시작했을까 하는 생각이 든다.

아마 지금도 토론이나 토론 수업은 어려운 것이라고 느껴서 쉽게 접근하지 않는 사람들도 있을 것 같다. 너무 쉽고 너무 재미있는 것인데, 경험하지 않으면 알 수가 없다. 그러니 자신에게 해가 되지 않는 일이라면 무턱대고 시작해도(저질러도) 좋지 않을까?

큰 두려움 없이 도전한 테니스는 스트레스를 날리며 활력을 찾을 수 있게 만들어주는 고마운 운동이 되었다. 주변에서 테니스를 배우는 데 도움을 주는 이야기를 해 주기도 하는데, 한 사람이 내게 해 준 말이 인상적이었다. '테니스를 치려면 공을 영접해야 한다.'라는 것이다. 아마 내가 세게 날아오는 공이 무서워 피하는 듯한 자세를 보였던 것 같다. 공을 피하다 보면 당연히 테니스를 칠 수 없을 것이다. 그래서 지금은 공을 영접하려는 자세를 가지고자 노력하고 있다. 물론 쉽지는 않지만.

글쓰기와 말하기도 마찬가지라는 생각이다. 테니스에서 공을 영접해야 한다면, 글쓰기와 말하기에서는 단어를 영접해야 한다. 글쓰기를 못한다고 미리 두려워서 피하지 말고, 어려운 단어라고 도망가지 말고 문장을 만들면서 자꾸 자기 문장으로 만들어야 하는 것이다. 그런 자세가 되어야 글쓰기에 대한 부담이 없어지고, 자연스러운 글을 쓸 수 있게 되는 것이다.

우리는 지금 차근차근 단어들을 쌓아 올리고 있다. 우리는 이미 많은 지식들을 쌓아 놓고 있다. '서당 개 삼 년이면 풍월을 읊는다.'라고 했는데 우리는 이미 삼 년을 다 지난 사람들이다. 그러니 이미 우리가 알고 있는 지식들을 바탕으로 주장을 펼쳐 나갈 수 있는 것이다.

끊임없는 연습

그런데도 어렵다고 느끼는 이유는 무엇일까? 그것은 아마 정리하는 연습이 모자라서가 아닐까? 아는 지식들이 여기저기 머릿속에 숨어 있는데, 그 지식들이 순서대로 나오지 않는 것이다. 그러니 쓰기 연습을 충분히 해야 한다. '충분히'라는 말은 상당히 주관적인 것이라서 어떤 사람들은 늘 충분히 연습했다고 한다. 그런데도 결과가 시원치 않다면 그건 '충분히'라는 대답을 할 수 있도록 더 해야 한다는 뜻이다.

온달, 김득신, 에디슨, 피카소 등의 인물의 공통점이 무엇인지 생각하면서 우리도 부단히 연습하고 연습해야 한다. 어차피 삶이란 무엇인가를 끊임없이 배우는 과정이다.

언젠가 여름독서 캠프를 운영할 때, 손글씨로 좋아하는 글귀를 써보는 시간이 있었다. 그래서 무슨 문구를 쓸까 고민하다가 내가 좋아하는 '부지런 부자'라는 글이 떠올랐다. 이 말도 역시 어린 시절 나의 어머니에게서 들은 말이다. 무슨 일인가를 하면서 어머니가 말씀하셨다.

"얘야, 부지런 부잰 하늘도 못 막낸 헌 말이 이쩌."('부지런해서 부자가 된 사람은 하늘도 어쩌지 못한다.'라는 말이 있어.)

"그건 무슨 말이꽈?"(그건 무슨 말이에요?)

"원래 부재엔 헌 건 하늘이 만드는 거랜 헌다. 날 때부터 '는 부자로 살라.' 허멍 난

덴 말이주."(원래 부자라는 것은 하늘이 만드는 거라고 한다. 태어날 때부터 '너는 부자로 살아라.'하면서 태어난다는 말이지.)

"건디 마씀?"(그런데요?)

"건디, 가난뱅이 팔자로 난 사롬도, 부지런허민, 하늘이 그 사롬 팔자를 막지 못허난, 부재로 산덴 말이주."(그런데 가난뱅이 팔자로 태어난 사람도 부지런해서 부자가 되면 하늘도 막지 못해서 그가 부자로 살아간다는 말이야.)

나는 그날 이후로 이 말을 좋아하게 되었다. 운명을 개척해나간다는 느낌이 들었다고나 할까.

그래서 어느 날 우리 아이들이 학교에서 가훈을 적어 오라는 숙제가 있다고 했을 때, 나는 아이들에게 내가 들었던 이 이야기를 하면서 우리 집 가훈을 '부지런 부자'로 하자고 했다. 나는 지금도 이 단어가 좋다.

그리고 인생은 늘 연습하는 것이라고 생각한다. 시간은 일회성을 띠기 때문에 같은 날을 두 번 살 수가 없다. 따라서 우리는 매일매일 연습하는 것이다. 실전이 없이 말이다. 오늘도 나는 하루를 연습하면서 보낸 것이다. 그래서 나는 손글씨로 썼다.

'산다는 것은 연습하는 것이다.' 아마 이때가 중국의 왕멍이 쓴『나는 학생이다』라는 책을 읽은 직후라서 더 이 글귀가 떠올랐던 것 같다. 배움에 두려움이 없던, 배움 자체가 목적이었던 작가의 삶이 인상적이었던 책이다.

나는 우리도 이 작가와 같은 자세로 배웠으면 좋겠다. 학교에 다닐 때에만 공부하는 것이 아니라, 성적이 목적이 아니라, 배우는 그 자체를 즐겨서, 나이가 들수록 더 많이 책을 읽고, 무엇인가를 배우면서 살아갔으면 좋겠다.

학생들의 경우도 수업 시간에 주장하는 글쓰기를 하는데, 내가 처음

토론을 시작할 때 사용했던 학습지를 이용하여 학생들이 글을 쓰도록 한다. 당연히 전체 학생이 발표를 하고, 학습지 뒷면에 들은 내용을 간략하게 메모하고 평가를 한다. 뒷장에 메모를 하면서 들어야 하니 집중하여 잘 듣기도 하지만, 자신들이 공감하는 주장을 할 때에는 더 고개를 끄덕이며 듣는다.

　한 학생은 급식실에서 먹다가 남긴 음식물 쓰레기가 많이 배출되는 것을 해결하기 위한 주장 글쓰기를 했다. 이 학생은 급식실 선생님과 인터뷰까지 하면서 문제해결 방법을 생각하고 있었다. 사실, 이 글쓰기는 수행평가와는 무관하게 진행한 것인데도 평소의 성실함이 글에 담겨 있어서 감동이다. (2학기에는 이런 주장 글쓰기와 듣기를 수행평가에 반영할 예정이다.)

학교생활에서의 여러 문제에 대한
나의 주장

2021년 (6)월 (16)일 (水)요일	(2)학년 (4)반 ( )

안녕하세요. 지금부터 제가 생각하는 학교생활 문제에 대하여 발표하도록 하겠습니다. 제가 생각하는 학교생활의 문제점은 '많은 학생들이 급식을 많이 남겨 나른 음식물'이라고 생각합니다. 지금부터 이와 관련된 문제와 해결방안을 제시하도록 하겠습니다.

먼저, 우리가 급식을 많이 남기면 버리는 음식물이 많아지고 그로인한 환경문제들이 심각해집니다. 급식 선생님께 직접 인터뷰 했을때 선생님께서 학생들이 좋아하지 않는 급식이 나올때 많은 음식물로 인해 음식물 통이 자주 찬 모습을 보아서 급식 문제가 심각하다고 생각합니다. 또한 학생이 급식봉사을 하다보면 학생들이 음식을 많이 버려 급식선생님들에게 죄송한 마음이 듭니다.

이와같은 문제를 해결하기 위해 첫째 삼성푸모로수 졸우선에 무지개 식판을 도입하는 것 입니다. 무지개 급식이란 음식양 표시하는 실선과 점선을 표시해논 식판 입니다. 무지개 식판을 도입하면 먹고 싶은 양을 생각해서 급식을 다 먹으니까 버리는 양이 줄어 듭니다. 한 학교를 대상으로 해서 실행했을때 음식물이 70%나 줄어들어 큰 변화를 보입니다.

둘째, 학교에서 급식에 관한 여러 행사를 진행하는 것 입니다. 현재 2학년 자치회에서 급식 이벤트를 하고 있습니다. 이와 같이 급식에 문제점을 포스터에 그려 학생들에게 많이 알리거나, 학생들에게 원하는 급식을 조사해서 그 급식을 만드는 것과 같이 학생들을 위한 많은 급식 이벤트를 만드는 것 입니다.

'조금 버려도 큰 문제 없겠지?' 라는 생각 보다 '나부터 다 먹는 모습을 보여야지!' 라는 생각을 해서 우리 모두가 모범을 보이면 좋겠습니다. 이상입니다.

※ 주장하는 글에는 문제제기와 해결 방안이 담겨 있어야 합니다.

IV

토론
하기
- 논제 만들기

01

우리는 말과 글로 우리들의 생각을 주고받는다. 그렇게 소통을 하면서 건강하고 평화롭게 생활을 이어나가는 것이다. 말을 하려면 화제가 필요하다. 한두 시간 대화를 나누었다고 해도 좋은 화제가 아니라면 대화를 나눈 한두 시간이 무의미하게 느껴질 것이다. 좋은 화제로 대화를 나누었다면 우리는 참으로 유익했다고 뿌듯한 마음으로 행복해할 것이다.

중학교 교사로서 독서를 생각하면 마음이 무거워진다. 책은 점점 넘쳐나지만, 책을 좋아하지 않는 학생들은 여전히 많다. 책이 주는 재미를 찾기 전에 다른 것들에 눈을 돌리면 책과 가까워지기가 힘든 것 같다. 이런 학생들을 보면, 내가 제대로 독서 교육을 하지 못하고 있다는 자책마저 들 때도 있다. 그래서 영국의 동요는 부러운 나의 마음을 담고 있다.

그래 그래, 너희 집엔 대리석 계단과 아름다운 정원

그래 그래, 비단 옷과 번쩍이는 보석

그래 그래, 너희 집엔 맛있는 음식과 공손한 하녀들

하지만 우리 집에는 책 읽어주는 엄마가 있단다.

- 송재환, 『초등 고전 읽기 혁명』 중에서(글담, 2011)

이런 노래를 부르면서 자라는 아이들은 정말로 행복할 것 같은 생각이 들고, 이런 노래가 있는 지역에서는 부모가 책을 읽어주지 않으면 안 될 것 같은 느낌마저 든다. 어쨌든 이 노래에는 멋진 집과 아름다운 정원에 사는 아이와, 가난하지만 책을 읽어주는 엄마를 가진 아이가 등장하고, 후자가 더 좋다고 한다.

우리나라의 경우는 어떤가? 나의 경우는 어린 시절에 옛날이야기를 들려주는 엄마가 있어서 지금 생각하면 퍽이나 다행이라는 생각이 든다. 책을 읽어주는 것이나 옛이야기를 들려주는 것이나 효과는 비슷할 테니까. 이렇게 이야기를 좋아했기 때문에 나도 내 아이들이 어렸을 때 끊임없이 이야기를 들려주었다. 순전히 창작하면서. 언젠가는 그림책으로 내 이야기책을 내고 싶다는 소망을 하면서.

특히 막내에게는 하루도 빠짐없이 잠자기 전에 동화를 지어서 들려주었다. 언젠가 마감을 해야겠다고 생각해서, 아들이 열 살이 되기 전에 말했다.

"아들아, 너의 나이가 두 자릿수가 되면 엄마의 이야기 주머니가 사라진단다. 그러면 아들이 엄마한테 이야기를 들려주어야 해."

그때의 서운해하던 아들의 표정이 아직도 눈에 선하다.

내가 이야기를 좋아하고 책을 좋아하는 것은 나의 어린 시절 경험과 관련이 있는 것 같다. 할머니와 어머니가 들려주신 많은 이야기들이 나를 행복하게 만들었던 기억들이 남아 있는 것이다.

대학생이 되어, 집을 떠나 제주시에서 자취를 할 때, 나는 부자가 된 상태를 나름대로 생각해 보았다. 그때는 생활비나 용돈을 넉넉하게 쓸 수 있지 않았던 것 같다. 그래서 나는 생각했다.

'아마 책값과 과일값을 아까워하지 않는다면, 그것이 부자가 되었다는 뜻일 거야.'라고.

지금은 그 시절을 떠올리면서 '나는 부자인가?' 하고 다시 묻는다. 당연히 책값과 과일값을 아까워하지 않지만, 그래도 내가 부자라는 만족감이 들지 않는 것은, 나의 옛 시절에 대한 배신인 셈이다.

아무튼 높은 학구열을 가진 우리나라 사람들도 책을 좋아한다. 하지만 그 책의 대부분은 학습용 도서이거나 참고서라고 한다. 당연히 부모와 자식의 대화 주제도 한정적일 것이다. 책의 내용을 가지고 대화하기보다는 성적과 관련된 대화를 하는 것이 대부분일 것이다.

"혹시 그때 산 문제집 다 풀었니?"

독서에서
논제 찾기

토론을 하기 위해서는 좋은 논제가 필요하다. 그런데 토론을 자주 하는 경우라면 논제도 수시로 만들어내야 한다. 이 경우, 책들을 읽어 가면서 논제가 됨직한 것을 찾아내는 작업이 필요하다. 내가 짧은 이야기인 우화나 옛이야기를 뒤지면서 읽는 이유가 여기에 있다. 시 또한 마찬가지로 두루 살피면서 읽는다.

만약 책을 좋아하는 학생들만 모인 경우라면 긴 장편으로 토론거리를 찾아도 좋다. 내가 동아리 활동을 할 때에는 『정의란 무엇인가?』를 읽고 토론을 했었다. 줄거리가 길게 이어지지 않고 한 편씩 나뉘어 짜인 구조 때문에 잘 진행이 되었던 것 같다.

그러나 일반적인 교실의 경우는 독서의 수준이 다 다르기 때문에, 그 시간에 읽고 생각해 볼 수 있도록 짧은 글이 더 좋다. 개인의 취향이 다르고 읽는 시간이 다르면, 그 작품을 가지고 대화를 나누기가 어렵기 때문이다. 또한 학생들이 긴 글을 읽어야 한다는 부담감에서도 벗어날 수 있다.

여기에서는 논제를 만들기 위한 작업으로 리처드 바크의 『갈매기의 꿈』을 가지고 대화를 나누었던 사례를 소개한다. 책을 읽고 난 후의 대화가 무르익을 무렵이면 우리는 토론으로 진행할 수 있었다.

(전략)

그렇지만 그에게 중요한 것은 먹는 것이 아니라 나는 문제였다. 조나단 리빙스턴이 최고로 손꼽는 것은 멋지게 하늘을 비행하는 것이었다.

이런 사고 방식을 가지고서는 다른 갈매기들로부터 인기를 끌기가 어렵다는 것을 그도 알게 되었다. 심지어는 그의 부모조차도 아들 조나단이 온종일 외톨이로 떨어져서 저공 활공 연습만 그저 끝없이 되풀이해대고 있는 모습을 보면서 당황해하고 있었다.

조나단은 어떤 원리에 의해서 그렇게 할 수 있는지는 몰랐지만 수면으로부터 날개 길이의 반도 채 되지 않는 높이에서 비행하고 있을 때가 힘도 덜 들이고 공중에 훨씬 오래 머물 수 있다는 것을 알게 되었다.

또한 활동을 마칠 때에는 다른 갈매기들처럼 발을 앞으로 쭉 내밀어서 물을 텅벙거리는 것이 아니라 자신의 몸통에다 두 발을 유선형으로 착 붙인 채 수면에 발을 접촉하듯 하여 길고 잔잔한 발자국을 남기는 것이었다. 조나단이 두 발을 몸에 밀착시킨 자세로 바닷가에 착지한 뒤, 백사장 위에 생긴 활공 자국을 발걸음으로 재고 있는 모습을 지켜보던 그의 부모들은 여간 당황한 기색이 아니었다.

"존, 왜 그러니, 왜 그러는 거야?"

그의 어머니가 물었다.

"뭐가 그리 어려워서 유별나게 구는 거냐구, 존? 저공비행은 펠리칸이나 엘버트로스나 하는 게 아니니? 그리고 왜 밥이라고는 입에도 대지 않는 거니? 얘, 그러니까 그렇게 깡말랐잖니?"

"깡말라도 괜찮아요, 엄마. 전 공중에서 제가 무엇을 할 수 있는지 알고 싶어요. 그냥 그뿐이에요. 정말로 알고 싶다니까요?"

"이봐라, 조나단."

그의 아버지가 상냥하게 말을 건넸다.

"이제 곧 겨울이 다가올 거다. 그러면 고깃배들도 하나둘씩 사라질 것이고, 수면 가까이에서 야트막하게 헤엄치던 물고기들도 물속 깊숙이 들어가 버릴 거야. 네가 정히 뭔가 배우기를 원한다면 먹이 구하는 법을 배우도록 해라. 저공 비행인가 뭔가 하는 것도 어쩌면 해볼 만한 도전일 수 있겠지만, 그걸 배운다고 밥이 나오는 것은 아니잖니. 조나단, 네게 날개가 있어서 날아다니는 것은 먹기 위해서라는 것을 반드시 명심해 두어야 한다."

조나단은 고분고분 고개를 끄덕였다.

(후략)

- 리처드 바크, 『갈매기의 꿈』 중에서(하서출판사, 2010)

이 책을 다 읽고 나면, 아니면 이 부분을 읽고 나니 하고 싶은 질문이 생긴다. 이런 질문거리를 모두 적는다면 아마 100개도 가능하지 않을까? 그렇게 질문거리들을 자유롭게 찾아본 다음에 이제는 그 질문들을 검토하면서 추려내야 한다. 그러면 그 속에서 토론거리가 됨직한 것들이 숨어 있다는 것을 알게 된다.

여러 질문들 중에서 토론거리가 될 만한 핵심적인 질문은 2개이다.

질문 1. 조나단 리빙스턴의 삶은 다른 갈매기들과 다릅니다. 어느 쪽이 더 행복한 삶을 살고 있다고 생각하십니까?

··

질문 2. 조나단의 부모는 조나단의 행동을 말리고 있습니다. 이 부모가 자녀를 교육하는 방식에 대해 어떻게 생각하십니까?

이 질문에 대한 대답을 생각해 보면 이것은 찬성과 반대 의견으로 갈릴 수 있는 토론이 되는 것이다. 그때에는 논제 문장을 조금만 바꾸면 된다.

논제 1. 조나단 리빙스턴의 삶이 다른 갈매기들의 삶보다 행복하다.

논제 2. 조나단 리빙스턴 부모의 교육 방식은 잘못이다.

이렇게 하면 이제는 토론을 진행할 수 있다. 그리고 이미 질문을 만들고 대답하는 과정을 통해서 토론에서 주장해야 할 것들을 추려냈을 수도 있다. 자, 이제는 토론으로 들어가도 된다.

논제는 현재의 상황을
바꾸는 것으로

토론을 처음 시작할 때, 나는 토론자들이 어느 위치에 앉아야 하는
지조차 몰랐다. 찬성 측이 있고 반대 측이 있는데, 누가 왼쪽에 앉아야
하고 누가 오른쪽에 앉아야 하는지조차 몰랐던 것이다. 이게 무슨 중요
한 일이냐고 할지도 모르지만, 기본을 안다는 것은 중요하다. 우리가
사용하는 단어들과 직접적인 관련이 있으니까 말이다.

주장을 한다는 것은 현재의 문제를 해결하기 위한 것이라고 했다. 따
라서 찬성 측은 현재의 문제를 개선해서 바꾸고자 하는 진보적인 입장
이고, 반대 측은 현재의 입장을 유지하고 싶은 보수적인 입장인 셈이다.

좌우의 개념은 1789년 프랑스 혁명 직후 소집된 국민의회에서 의장
석에서 볼 때 오른쪽에 왕당파가 앉고, 왼쪽에 공화파가 앉은 것을 시작
으로 해서 정치적인 의미로 사용되었다. 토론에서는 이런 것까지 가르
치지는 않아도 되지만 교실에서 토론을 할 때 어느 쪽에 앉아서 발언을
해야 하는지는 정해주어야 한다.

위의 유래에서 비롯해 찬성 측은 변화를 주장하기 때문에 왼쪽(좌파,

좌익)에 앉고, 반대 측은 오른쪽(우파, 우익)에 앉도록 한다.

논제는 '현재의 상황을 바꾸자.'라는 것이므로 당연히 현재의 상황과 반대되는 것이라야 한다.

예를 들어 보자.

제주도의 명산인 한라산을 오르고 싶은데, 오르기가 너무 힘이 드는 문제가 있다. 그리고 몸이 불편한 사람은 한라산에 갈 수가 없다. 이런 문제 상황들을 개선하고 싶다. 이런 경우에는 '한라산에 케이블카를 설치해야 한다.'라는 논제를 만들 수 있다.

지금 코로나 방역 기간임에도 제주도에 관광객들이 많이 찾아와서 감염에 대한 걱정이 많다. 제주도민들이 피해를 보는 것 같다. 관광객들이 더 오면 방역 상황이 나아질 것 같지 않다. 이런 경우에는 '(방역 기간 내) 제주도 입도세를 신설해야 한다.'라는 논제를 만들 수 있다. 실제로 올해 우리 학교 독서토론대회 논제로 이것을 선택했다.

서귀포에서 대정으로 출퇴근을 하는데, 운전을 하다 보면 렌트카가 30% 정도 차지하는 것같이 보인다. 교내 토론을 염두에 두고 있던 터라, 예전에 입도세를 주제로 토론했던 것이 생각이 나서, 이 논제를 택해 토론을 진행했다.

짧은 시간 내에 14팀의 토론을 진행해야 해서 예선에서는 교사 한 명이 판정을 하기로 했다. 물론 토론이 끝나면, 토론 진행에 대한 피드백을 해서 학생들이 토론을 배우는 계기가 되도록 했다.

몇 년 전, 학교 폭력 문제가 사회적 이슈로 떠올랐을 때 우리는 '학교 폭력의 방관자도 처벌해야 한다.'라는 논제로 즐겨 토론을 했었다. 아이들과 학교에서 토론을 연습할 때에도 이 논제는 여러 생각을 할 수 있도록 해 주는 좋은 논제였다.

그런데 지금은 이 논제를 쓸 수 없다. 왜냐하면 토론을 하는 목적이 지금의 문제를 해결하기 위한 것이기 때문이다. 지금은 이미 학교 폭력의 방관자도 처벌하고 있기 때문에 굳이 이 문제에 대해 토의할 필요가 없는 것이다.

내가 했던 토론의 논제들을 보면 우리 사회가 많이 변하고 있다는 것을 느낀다. 예전의 논제들이다.

① 학교에서 화장을 금지해야 한다.
② 학교에서 학생들의 휴대폰 사용을 금지해야 한다.
③ 교복을 없애야 한다.
④ 학생들의 등교 시간을 늦춰야 한다.
⑤ 상벌점 제도를 없애야 한다.
⑥ 양심적 병역 거부를 인정해야 한다.

①은 학교에서 화장하는 학생들을 지도하는 과정에서 많은 문제들이 생겨나고 있을 당시에 주요 논제였고, ②는 휴대폰이 급속히 보급되어서 가끔 몰래 휴대폰을 교실에서 사용하는 학생들이 있어서 고민하던 시기의 논제였다. ③은 교과서에서도 토론의 예시로 제시되었던 논제였던 것 같다. ④는 우리나라 학생들의 학습 시간이 너무 길고, 아침밥을 먹지 않고 등교하는 학생들의 현실이 조명되던 시기에 나온 논제였다. ⑤는 학생 생활 지도의 어려움을 해결하기 위해 학교에서 상벌점

규정을 두던 시기의 주요 논제였다. ⑥은 양심적 병역 거부가 인정되지 않았던 시기의 논제로 사용 가능했었다.

그런데 지금은 이런 논제로 토론을 진행하지 않는다. 토론은 현재의 상황를 바꾸기 위해서 주장을 내세우는 것이기 때문이다. 따라서 논제를 정할 때는 지금의 상황을 잘 고려해야 한다.

논제는 명확한 문장으로

주장을 하기 위해서는 주장하는 바가 명확해야 한다. 따라서 주장문인 논제는 부정형을 사용하지 않는 것이 좋다. 부정형의 문장을 사용하면 일단 토론자들의 입장에서는 긍정형으로 바꾸는 사고의 과정을 거쳐서 논제를 해석하게 된다. 특히 부정문을 겹쳐 쓰기도 하는데 이러다 보면 논제를 명확하게 해석하기가 어려워진다.

① 교무실 청소는 학생들이 하지 않는 것이 좋다.
② 교무실 청소는 학생들이 하지 않아야 한다.
③ 교무실 청소는 학생들이 하면 안 된다.

하나의 논제를 선택할 때에도 여러 가지 표현 중에서 더 명확한 것이 무엇인지를 고른다. 얻고자 하는 목적이 무엇이냐에 따라 논제의 표현이 달라지는 것이다. ①의 경우는 가치 판단을 물어보고자 할 때 어울리는 가치 논제가 된다. 물론 이때는 '좋다.'에 대한 개념 정의를 확실히 할 필요가 있다. ②의 경우는 당위성에 대해 생각해보게 하고, ③의 경우는 법률적인 접근을 하기에 적합한 논제이다.

다양한 논제로 토론을 경험하는 것은 논리적으로 사고하는 능력을 기르는 좋은 방법이다. 따라서 토론 수업을 진행하려면 끊임없이 좋은 논제가 될 만한 것들을 찾아야 한다. 그리고 문장을 만든 다음에 더 명확한 문장으로 바꿔야 한다.

① (중학생의) 화장을 허용하면 안 된다.

　　→ 화장을 금지해야 한다.

② 교실에서 학생들의 휴대폰을 걷는 것은 잘못이다.

　　→ 교실에서 학생들의 휴대폰 휴대를 허용해야 한다.

③ 안락사를 인정하는 것은 잘못된 것이다.

　　→ 안락사를 허용해야 한다.

④ 학생들의 등교 시간을 조절해야 한다.

　　→ 학생들의 등교 시간을 늦춰야 한다.

⑤ 이솝우화 「늙은 개」에서 주인의 행동은 옳지 않다

　　→ 이솝우화 「늙은 개」에서 주인의 행동은 옳다.

⑥ 모병제를 실시하면 안 된다.

　　→ 모병제를 실시해야 한다.

논제는 찬반이 비슷한 것으로

만약 권투에서 체급을 나누지 않는다면 어떻게 될까? 헤비급의 선수와 라이트급의 선수가 링 안에서 싸운다면 말이다. 우리는 그것을 스포츠라고 부르지 않을 것이다. 스포츠라는 말 속에는 공정함이 담겨 있다고 생각한다. 그래서 일방적으로 어느 한쪽이 유리한 경우에는 응원

을 보낼 수 없다.

토론도 마찬가지이다. 일방적으로 어느 한쪽에게 유리한 논제라면 굳이 토론을 할 필요가 없다. 토론은 주장과 반박을 통해 더 나은 어느 한쪽을 선택하는 과정이다. 현재의 상황을 개선할 것이냐, 아니면 그대로 유지할 것이냐를 정하는 것이다. 그러므로 현재의 상황을 개선할 필요가 없다고 대부분의 사람들이 인정하고 있다면 굳이 토론을 할 필요가 없는 것이다.

예를 들어서 논제를 '학습만화는 초등학생에게 도움이 된다.'라고 정해 보자. 이 논제를 가지고 토론을 한다면 당연히 찬성 측의 주장이 이길 것이다. 왜냐하면 '학습'이라는 말 속에 '도움이 된다.'라는 의미가 담겨 있다고 보이기 때문이다.

교실 토론에서는 주로 독서 활동과 관련된 토론을 하는 것이 가장 좋다고 보는데, 책의 내용과 관련하여 다양한 논제들을 만들어낼 수 있을 것이다. 그리고 토론 수업을 여러 번 진행하면서 약간의 시행착오를 겪다 보면, 토론의 논제를 만들어내는 안목이 생길 것이다.

이 외에도 논제는 학생들의 흥미를 끌 수 있는 것이어야 한다. 모든 사람들은 '나'와 관련이 있는 것에 관심을 보이기 때문에, 논제를 정할 때에는 학생들이 흥미를 보일 만한 것, 학생들의 수준에 맞는 것, 또한 가르치고자 하는 핵심 내용(성취 기준)과 관련이 있는 것들로 정해야 한다.

V

토론
하기

- 판정하기

01

이 세상에 나와 같은 사람은 한 명도 없다. 주변 사람들의 생김새를 보라. 나와 같은 사람은 한 명도 없다. 피부색, 이목구비, 머리카락, 손발 등 다 제각각 다른 모양을 하고 있다. 설령 태어날 때 일란성 쌍둥이로 똑같이 태어났다고 해도 조금 지나면 서로 다른 모습으로 변해간다.

외모만 그런 것이 아니다. 사람의 생각은 외모보다도 더 제각각으로 나뉘어 다른 모습을 띠고 있다. 외모는 겉으로 다르다고 금방 느낄 수 있지만, 속마음은 보이는 것이 아니라서 남의 마음이나 생각을 짐작하기는 어렵다. '열 길 물속은 알아도, 한 길 사람 속은 모른다.'라는 속담이 괜한 말이 아니다. 그러므로 남도 나와 같은 마음이기를 바란다는 것은 어쩌면 불가능한 일인지도 모른다. 더욱이 동일한 한 사람의 마음조차 시시때때로 변할 때가 있으므로, 우리는 그보다 더 확실한 이성에 기대는 방법을 연구한 것인지도 모른다.

감정은 느낌대로 흘러가지만, 이성은 논리적인 기준을 가지고 있다. 대체로 보편타당하다고 인정할 수 있는 것이다. 우리가 이성에 기대어 논리적인 문제 해결을 하려고 하는 것도 이러한 보편타당함을 추구하기 때문이다.

그러면 서로 다른 사람들 사이에 문제 상황이 생겼을 때, 이를 해결

하기 위해서는 당연히 이성에 따른 논리적인 방법이 필요하다. 그래서 사람들은 각각을 존중하기 위해 토론이라는 것을 만들어낸 것이라는 생각이 든다. 서로 다른 생각을 가진 사람들도 인정할 수 있는 기준인 보편타당한 '논리'가 있어야만 서로 믿고, 한 세상에 공존할 수 있을 것이다.

울음으로 문제 상황을 해결하거나, 큰 목소리로 문제 상황을 해결하려고 한다고 생각해 보라. '목소리 큰 놈이 이긴다.'라는 식의 세상은 얼마나 혼란스럽겠는가. 그래서 논리적인 주장을 하고 논리적인 반박을 하는 토론이야말로 세상에 우리를 공존하게 하는 가장 과학적인 방법이라고 볼 수 있는 것이다.

우리는 토론을 배우고 일상생활에서도 토론을 생활화해야 한다. 토론의 방법을 배우고 논리적인 말하기를 배우면서 말이다. 그런데 한 가지 아쉬운 점이 있다. 그것은 토론에서 판정의 문제(판정을 바라보는 태도의 문제)이다.

토의와 토론은 공동의 문제를 해결하기 위해 노력하는 과정이며, 결론을 도출하기 위하여 논거를 사용한다는 점에서 유사하다. 그러나 다른 점이 있다.

토의는 다 아는 것처럼 참가자 모두 협력적인 자세로 최선의 해결책을 찾아내는 것이므로 모두의 의견이 존중되는 느낌을 받는다. 토의에서는 이기고 지는 문제가 크게 중요하게 여겨지지 않아서, 규칙에 덜 얽매이면서 자유로운 말하기가 보장된다. 남의 주장에 대해 반박하지 않아도 된다.

토론은 대립적인 주제를 가지고 찬성과 반대 양측 중에서 어느 것이 최선인지를 찾아내는 것이다. 따라서 주장은 당연히 반박의 과정을 거치고 선정이 된다. 토론은 정해진 형식에 따른 공정한 말하기의 방식을

택하므로 다소 딱딱하다는 느낌을 받기도 한다. 그리고 토론에 익숙하지 않은 사람들은 이기고 지는 것에 연연해하기도 한다. (더 잘 생각해보면 나보다 더 설득력이 있는 상대방의 주장이 선택되는 것이 우리 모두를 위해 좋다는 것을 알게 되겠지만)

이렇게 토론과 토의는 근본적으로 다른 면을 보인다. 토의는 특별한 주의를 기울이지 않아도 화합하는 민주적인 자세를 기를 수 있다. 토의에서는 나와 다른 의견이 있지만, 나의 의견을 반박하는 사람은 없는 것이다. 토론은 그렇지 않다. 토론자는 나의 의견을 정면으로 조목조목 반박하게 된다. 토론에서는 판정을 하고, 승자와 패자가 있을 수밖에 없다.

이 상황을 수용하는 성숙함이 마련되어 있지 않다면 토론은 나와 남에게 똑같은 상처만 남긴다. 토론을 하는 사람이나 받아들이는 사람이나 모두 토론의 피해자가 되는 것이다. 혹 떼러(문제를 해결하려고) 갔다가 오히려 혹을 붙이는 꼴이라고나 할까.

토의가 아닌 토론 상황에서 지는 것을 참을 수 없다면 그는 자기 자신에게 물어보아야 한다. 다음의 질문에 '예'라고 대답할 수 있는가?

'나는 완벽한 존재다. 따라서 내가 당연히 이겨야 한다.'

판정은
다를 수 있다.

토론대회 심사를 할 때마다, 내가 토론을 해서 심사(판정)를 받을 때의 생각이 떠오른다. 그때 나는 과연 판정을 제대로 수용했을까? 토론을 함께 배우는 선생님들도 마찬가지였다. 우리는 토론에 질 때마다 잠을 이루지 못했었다. 처음 배우는 것이라서.

그런데 지금은 토론에서 질 수도 있고, 이길 수도 있다는 것을 재미있게 받아들인다. 그리고 학생들에게도 토론의 판정을 수용해야 한다고 가르친다. 처음 시작하는 학생들은 그래도 잠을 못 이룰 테지만, 곧 극복할 것이라는 것도 알고 있다.

토론대회 심사를 하면서 느끼는 것은 심사가 무척 어렵다는 것이다. 교실에서의 토론은 승자와 패자를 가르지 않고 토론의 진행 방법을 익히거나 논리적인 주장 방법을 익히는 것이 주요 목적이라 부담이 거의 없다. 오히려 학생들의 신선한 주장을 들을 수 있어서 배우는 점도 많다.

그런데 대회 심사는 그렇지 않다. 다들 학교에서는 내로라하는 학

생들인데, 토론대회에서는 승자가 되거나 패자가 되어야 한다. 판정은 그것을 결정해야 하는 입장이기 때문에 신중해야 한다.

사람마다 생각이 다른 것처럼 토론을 판정하는 사람들의 판정도 각각 다를 때가 많다. 그래서 토론의 판정관은 언제나 홀수이다. 대체로 3명이거나 5명인 경우가 많다. 그래야만 다수결에 따른 승패를 가를 수 있기 때문이다. 나의 판정 의견과 다른 팀이 승리하는 경우도 있어서 언제나 판정을 제대로 하기 위해서 노력한다. 그리고 나의 판정과 다르더라도 언제나 다수결로 이루어진 결과를 받아들인다.

토론을 하는 사람도, 판정을 하는 사람도 모두 앞에서 말한 수용의 자세를 지녀야 함을 느낀다. 토론을 하는 사람들도 가끔 예상 밖의 판정이라는 태도를 보일 때가 있다. 자신들이 당당하게 주장하지 않았거나, 반박을 제대로 못 했는데 이겼다는 판정을 받게 될 때이다. (혹은 자신들은 잘했다고 생각하는데 졌다는 판정을 받았을 때이다.) 그러나 판정관의 입장은 다르다. 판정관은 논리적인 모순이 있는지를 따지기 때문에 목소리나 당당한 자세로만 판정하지 않는다. 이때 토론에 참가한 사람은 판정관의 판정을 수용하는 자세를 보여야 한다. 토론의 근본 정신은 역지사지의 정신, 즉 상대방의 입장을 같이 헤아리는 것이다.

그래서 나도 판정을 할 때, 다른 판정관들이 나와는 다른 판정을 해도 다수결에 따라 수용을 한다. 다른 사람의 판정도 기준에 따른 것이고, 나와 똑같은 입장이라는 것을 잘 알기 때문이다.

'내가 제일이다.'라는 생각은 토론에서 가장 피해야 할 태도라는 생각이 든다. 언제든지 상대방의 주장이 더 합리적이라면 따를 자세가 되어 있어야 토론을 하는 의미가 있는 것이다.

판정을
잘 하려면

판정을 잘 하려면 어떻게 해야 할까? 여기에서는 내가 판정하는 방법에 대해 말하고자 한다. 우리는 '구관이 명관이다.'라는 말을 들어본 적이 있다. 이 말은 '경험이 많은 사람이 당연히 더 일을 잘 처리한다.'라는 뜻으로 쓰는 속담인데, 새로운 기발함보다는 묵묵한 노력이 더 중요하다는 것을 말하고 싶을 때 쓴다.

토론을 많이 해 보고 판정을 많이 해 보면 어느 측이 더 설득력이 있는지 알 수 있다. 그러나 모든 토론 과정을 기억하였다가 판정을 하는 것은 거의 불가능하다. 그저 한 마디라도 더 적으려는 자세로 고도의 듣기 능력을 발휘해야 한다. 토론을 잘하기 위해서도, 판정을 잘하기 위해서도 가장 먼저 요구되는 것이 듣기(메모) 능력이다.

나는 수업 시간에 메모하는 것을 중요하게 생각한다. 그래서 가끔 메모하지 않는 아이에게 묻는다.

"너는 왜 메모하지 않니?

"선생님, 저는 제 머릿속에 메모하고 있어요."

그러면 나는 대답한다.

"머리를 믿지 마라. 국어 선생님의 머리는 돌이다. 따라서 나는 도를 닦으려고 노력한다. 내가 돌이라면, 나의 제자인 너희들도 그렇지 않을까?"

학생들에게 어찌 너의 머리가 돌이라고 말할 수 있을까? 그래서 나

의 머리가 돌이라고 먼저 말하는 것이다. 그런데 학생들의 머리가 돌인 것은 사실이다. 그들은 빛나는 보석, 보석도 돌의 일종이 아닌가?

언어학자들의 연구에 따르면 우리의 일상생활 언어 사용 영역은 크게 듣기, 말하기, 읽기, 쓰기의 4가지 영역으로 나뉜다. 그런데 요즘은 듣기·말하기 영역이 하나로 생각되고 있다. (그래서 국어 학습의 영역도 듣기·말하기, 읽기, 쓰기, 문법, 문학의 5가지 영역으로 나뉜다.) 일상생활에서 사용하는 언어의 비중을 보면 듣기가 45%, 말하기가 30%, 읽기가 16%, 쓰기가 9%라고 한다. 이 영역들이 서로 영향을 주고받는데 듣기가 그중 가장 영향력이 크다고 볼 수 있다.

따라서 듣기를 잘한다는 것이 바로 언어를 제대로 학습하는 기본인 셈이다. 듣기를 잘하면 상대의 주장을 이해할 수 있다. 그런데 그 듣기를 잘하지 못한다면 어떻게 될까?

나는 지금 2년째 교직원 대상 외국어 연수를 받고 있다. 서귀포 외국어학습센터에 가서 원어민 교사로부터 강의를 듣는다. 아니, 강의를 듣는 것이 아니라, 영어로 말하는 연습을 하는 것이다. 그런데 나는 영어 듣기가 약하다. 글로 쓴 것을 읽으면 해석이 되어서 대답을 할 수 있는데, 영어로 말하는 것을 들으면(질문을 받으면) 순간 멈칫하게 되는 것이다. 나의 뇌가 잠깐 멈춘다고나 할까? 컴퓨터 작업을 할 때 '렉' 걸렸다고 하는 것처럼.

다행히 토론은 우리말로 진행된다. 당연히 잘 들을 수 있는 것이다. 그럼 어떻게 하면 잘 들을 수 있을까? 말은 글자와 다르다. 말하는 순간 공중에서 흩어져 사라져 버린다. 그래서 우리는 그 순간의 말을 글자로 붙잡아야 한다. 즉, 귀로 듣는 순간마다 손이 글자를 기억해야 하는 것이다. 토론을 하는 사람도 마찬가지지만 판정을 하는 사람도 역시 그러하다.

나는 토론을 할 때는 필체를 버린다. 가장 빨리 쓸 수 있어야 하기 때문에 깨끗하고 선명한 글자를 바라지 않는다. 그보다는 한 마디라도 더 적으려는 노력을 한다. 학생이 주장을 발표할 때에는 긴장이 되어 내용 적기에 바쁘다. 다행히 중간중간에 협의시간이 있어서 그 시간에 발표 내용을 분석할 수 있다. 잘못된 주장이거나 잘못된 반박인 경우에는 빨간색으로 표시를 해 두고, 잘한 주장이나 반박은 파란색으로 표시를 해 놓는다. 그러면 토론이 끝나갈 무렵 어느 쪽이 이겼는지 쉽게 흐름을 파악할 수 있다.

논제	남학생 전용 휴게실을 만들어야 한다.	
구분	찬성측( ),( ),( )	반대측( ),( ),( )
첫째	초반 여성부지, 여학생휴게실 66% 남녀공학의 경우 - 남 란다 및 휴식 공간 필요 1. 남학생 차별, 신체특성상 휴게실 만들기만 휴식 욕심 있다. 헌법 11조 평등권 보장해야 2. 올바른 성가치관 교육, 강제적 교육과정, 성역할 및 성가치관 교육 매우 곤란함. 안성평등교육시켜 3. 학생건강 증진시킴, 보건실 경우, 쉬고 싶을때는 못감. 교선책상이 없어 자는아이도 있음 말이 너무 많아 전달력 약함	1. 66% 출처는 어디? 여학생은 생리 때문에 휴게실 필요한 것. 경기도 2000명 여학생 조사 - 생리로 인한 차별방해, 부모, 득표 등 경비. 이것은 합법적 차별. 역차별 X. 1. 법제화된 여성보호이다. 1. 생법의 예외일 수 있다. 1. 근거 필요 없음. 공동휴게실로도 가능 반박하기 않음 차분한 태도
둘째	1. 66%는 서울시교육청 조사 1. 여학생 휴게실을 없애자는 것 아니다 남휴게실이 왜 없냐는 것이다. 남학생이 학원 신체활동 방출이 쉬운거 같다. 차별이다. 남학생도 휴게실 확보가 좋다. 다음 수업에도 도움이 됨. 2. 올바른 성가치관 교육, 양성평등 의식 고취를 위해 필요. 차분하고 설득력 있음(말투, 태도)	1. 여학생 휴게실이 생활관이나 가치관을 키워주나? 이해 안된다. 쉬는시간 10분 사이에 휴게실 가능가? 남녀는 신체구조 다르다. 1. 공동휴게실로도 가능 상대방에게만 시선을 고정시킴.
셋째	1. 여학생 휴게실이 놀이, 휴식공간으로 사용되고있음. 남학생도 이런 공간 필요. 2. 남녀 모두 점심시간, 쉬는 시간이 같다. 3. 건강증진, 아파하게 아픈 경우 보건실 못감. 휴게실 있으면 쉬기 가능. 건강 증진됨. 공동휴게실은 탈의가 불가능함.	1. 합법적 차별일 뿐, 남자가 애기 낳을 수 있나? 휴게실은 상대적 평등, 생리공결로 인정한다. 1. 공공기관에도 공동휴게실 있다. 서울지검때 남휴게실 있었으나 이용률 저조로 없어짐.

또 토론자들은 피드백을 들으면서 성장한다. 어떤 점은 잘했고, 어떤 점은 조금 부족했다는 평을 들으면서 자신의 토론 능력을 길러나가게 되는 것이다. 토론의 평가를 위해서도 기록은 반드시 필요하다.

위의 기록지는 제주시에서 실시한 중학생 토론대회 심사를 했던 기록이다. 대회인 경우는 토론 참가 학생들이 토론의 결과에 더 민감하게 반응을 하기 때문에 더 심사숙고하면서 판정을 해야 한다. (원래의 판정지는 이보다 더 휘갈긴 글씨였는데, 출판을 위해 다시 옮겨 썼다.)

찬성1의 입론이 시작되었다. 입론자는 자신이 준비해 온 주장을 펼치는데, 내용은 좋았다. 다만 많이 말하려는 욕심 때문인지 말이 너무 빨랐다. 이 주장을 다 듣고 반대1의 반박이 시작되었다. 우선 66%의 출처가 어디인지 묻고, 여학생은 생리 때문에 휴게실이 필요하다고 말한다. 찬성2가 다시 반박한다. 66%의 출처를 밝힌 후, "우리는 지금 '여학생 휴게실을 없애자.'라고 주장하는 것이 아닙니다."라고 논제를 다시 상기시켜주고 있다. 그리고 찬성 측의 주장을 이어가는데 설득력이 있다. 반대2는 공용 휴게실이라는 대안을 제시한다. 찬성3은 평등의 논리로 남학생 휴게실도 필요하다고 내용을 정리하면서, 공용 휴게실은 탈의 공간으로 쓸 수 없어서 안 된다고 말하고 있다. 반대3은 여학생 휴게실은 합법적 차별이라며 남학생 전용 휴게실을 설치해야 한다는 주장을 반박하고 있다.

이렇게 토론의 과정을 기록하고 색깔을 구분하면서 잘한 점과 부족한 점을 구분하다 보면, 토론이 진행되는 도중에도 어느 쪽이 더 설득력 있게 토론을 전개하고 있는지 알 수 있다. 메모를 보면 전체적인 내용의 흐름을 알 것이다.

다음은 '사생활은 완벽하게 보호받아야 한다.'라는 논제로 열린 고등학생들의 토론을 판정했던 기록이다. 고등학생들이라 단어의 선택

논제	사생활은 완벽하게 보호받아야 한다.	
구분	찬성측( ).( ).( )	반대측( ).( ).( )
첫째	사생활-남에게 피해X 사생활 영역 (자유,개인생활) 완벽하게 - 모두에게 적도, 부족함 없는. 1. 인간의 기본권, 인권, 마땅히 보장받아야 하는 추구할 가치, 헌법 17조 명시 2. 민주사회, 정의 사회로 나아가는 길, 개인의 자유 법적으로 보장한 정치의 반향 3. 바람직하게 여겨야 할 사생활의 반향 완벽하게 지키려 사생활영역이 보호해야. 주장을 완벽하게 소화하고 있음. 개념 정의 다소 우려하나 큰 무리 없음	알권리와 사생활 침해는 상반됨 (알권리, 사생활 침해 개념정의함) 1. 유명인의 경우 사회영향력 때문에 주목받아야 함. (정치인,연예인 등) 공적 관심의 대상문 고의 여과에 개념됨 2. 직업적 특성의 의무, 유명연예인은 사생활을 포기한 경우임 (미국의 판례) 3. 국민의 알권리을 침해하면 안 됨, 박근희 탄핵 때에도 재판과정 공개. 반박하고 있고 주장하고 있음.
둘째	용어정의는 찬성측이 하는 것, 반대측이 하는것 X 우리는 '알권리가 사생활보다 중요하다'가 논제인 줄 알았다. 찬찬토론 양상이 안타깝다. 1. 공적 관심의 대상이라고 판정, 그들은 공적 영역의 공인이다. 개인 사생활의 영역. 2. 공인의 경우 3. 박근희도 공인, 남에게 피해주는 경우에는 사생활 보호X 토론의 흐름을 정확히 이해하고 짚어주고 있음	1. 알권리가 있어, 민주주의 실현이 사생활 보호라면 알권리 무시하면X, 모순이다. 2. 박근희는 당시 (새누리) 회장의 일로 업무 소홀히 함, 사생활 공개가 민주주의 실현을 가능하게 함. 언론 충돌의 자유, 알권리가 중도. '완벽하게' 잊부는 국민주권에 기여할 수 있다 는 것을 뜻함.
셋째	1. 인간의 기본권리, 당연히 추구해야 할 가치. 2. 민주주의, 정의사회 구현, 유명인은 사생활 을 포기한 사람- 이 논제의 근거가 맞기X 3. 박근희 사생활 공개가 민주주의 실현이라 행 으나 대통령은 공인이나 사기 안 맞음. 사생활 보장받지 못한다면 '빅브라더 '피해국민의 옹호로 들어갈 것. 처칠: 정부가 국민을 소유하지 않고, 국민이 정부 를 소유하는 나라라면 환영한다.'	1. 유명인을 고려해야 함 (정치인,연예인) 공적 관심의 대상이라 사생활 침해가 인정X (미국단계 재학인) 2. 알권리는 국민, 민주주의에 기여함. (박근희 경우)

이나 논리를 전개시켜나가는 과정이 깔끔하다. 주장에 대한 반박과 재반박이 제대로 이루어지고 있다는 느낌이 들고, 토론의 과정에서 학생들의 독서 수준까지 알 수 있었다.

이 판정지는 당시 나의 토론평가지를 보고 기록을 옮긴 것이다. 나는 글씨를 포기하고 글자를 더 많이 기록하기 위해 애쓰기 때문에 다른 사람이 보면 해독하지 못할까 걱정이 되어 다시 옮겨 보았다. 여전히 나는 삼색 볼펜을 들고 토론 판정을 한다. 검정색은 오고 가는 토론의

내용을 기록하고, 파란색은 칭찬거리, 빨간색은 조언거리를 적는다.

찬성 측 2토론자가 반박하는 것을 들으면 머리가 명쾌해진다. 반대 측이 제대로 반박하지 않았음(반대 측이 할 일을 제대로 하지 않고 있음)을 밝히면서 토론의 주도권을 이어나가고 있다. 찬성 측의 3토론자 역시 반박함과 동시에 자신들의 주장을 강화시키는 최종정리를 아주 잘 해내고 있다.

공식 대회의 토론이 아닌 교실 토론인 경우는 판정 피드백이 직접적으로 학습의 효과를 내기 때문에 토론이 끝나자마자 하는 것이 중요하

토론 (판정하기)	논제: 교실에서 비속어 사용을 규제해야 한다.		스스로 점수	
	( )반( )번 ( )	날짜		
구분	찬성측(김수현),(신호준),(문찬빈)	반대측(김이수),(이민희),(이준찬)		
첫째	1. 남기게 피해 줌. 청소년폭력에 이바지다 사례. 학교폭력 실태조사 - 비속기 근제 많음. 친구에게 대렸다고 결변. 피해가 나에게로 돌아옴. 2. 마음 언어사용을 갖게 함. 세시버를 어릴하게 간제 나에게 좋은 효과로 돌아옴. 3. 학습효과 정기적임. 서울대 연구팀 조사 계획성,인내력. 자존감 녹혹 (비속기 사용, 선) 이유와 사례 사이에 부연 설명 했으면	1. 사례 인정함. EBS 비속어 사용 교실이 아니라 교실 밖에서 나옴 2. 학교 밖에서 즉각 능 학교는 선생님 없는 곳만 쓴 것 3. 선생님 없어도 안 씀 쉬는 시간에 쓰라기도 수업 시간이는 없음 반박이 약함. `교실`만 반박함.		
둘째	1. 교실에서라도 규제하면 덜 쓰게 될것 노력을 더 해야 함. 2. 사회에서 매번 것이라고 그쳐야 함. 규제해야 함.	1. 교실에서 '가 포인트. 한 발자국만 나가도 교실이 아니다. 2. 목표, 선배가 늘 때라가는 것 아니다.		
셋째	노력하는 것이 있다. 비속기 심각성 일부가 반대측들 양면 재시X 사용 규제 캠페인 하면 효과 있을 것.	1. 교실에서 못하면 실외나 밖에서 더 표출할것 3. 자기 제시. 인내심이 목졸려서 비속어 사용한다 직장생활, 이것을 키우는 것이 먼저다 초등 6년간 규제해도 안 되었다 제대로 규제할 수 있는 방법은 없다.		

다. 다음 토론은 그림책『낱말 공장 나라』를 읽고, 질문하고 답하는 활동이 끝난 후 만들어진 논제로 시행한 토론에 대한 판정이다.

토론이 끝나고 몇 분 후에 학생들의 토론 판정지를 걷었는데, 한 학생의 메모가 너무나 반듯한 글씨로 작성되어 있었다. 나는 선생님보다 글씨 예쁘게 썼다며 칭찬을 하고 다시 보았다.

그런데 그 학생은 글씨를 예쁘게 쓰느라고 주장의 핵심들을 구분해서 적는 것을 놓치고 있었다. 나는 다시 학생들 앞에서 판정지 작성 방법을 이야기해준다. 글씨는 조금 흐트러지게 써도 좋으니, 토론의 내용이 어떻게 전개되는지에 초점을 맞추어야 한다고 말이다. 그러면서 찬성 측이 어떤 이유를 들고 있는지 구분할 수 있도록 번호를 매기는 것이 낫겠다고 조언을 해 준다. 나의 판정지를 앞에다 두고 설명을 하면 학생들의 이해가 더 빨라진다.

"자, 첫 번째 토론자가 주장의 이유를 3가지 들었잖아. 그럼 이유가 3가지라는 것을 구분하면서 정리해야 파악이 쉽지……."

그래도 이 학생의 토론 판정지는 놀랍다.

토론 (판정하기)	논제: 교실에서 비속어 사용을 규제해야 한다.		스스로 점수	
	(4)반(7)번 ( )	날짜 5 / 18 (화)		
구분	찬성측( ).( ).( )	반대측( ).( ).( )		
첫째	비속어는 남에게 피해를 준다. 또한 학교폭력 실태조사에서 언어폭력이 높다. 그리고 욕을 담아 생명에 위협이 가기도 하여 좋은 습관을 비속어 규제로 얻을 수 있고 학습효과를 떨어트리기 때문에 규제해야합니다.	찬성 측에 자료를 인정합니다. 하지만 교실에서 규제를 하여도 사회에서는 빈번적으로 욕을 합니다. 또한 찬성측에 반론하면 학교에는 선생님와 다른 어른 들이 있습니다. 어른들 앞에서는 절대 욕을 하지 않지만 쉬는시간 어른이 없을때 서로 욕을하며 놀고 있습니다. 또한 규제킨다고 해서 학습효과에 영향이 없습니다. 그러니 비속어 규제를 반대합니다.		
둘째	규제가 효과가 없다고 했는데 규제가 되면 그래도 사회에서 욕을 사용하지 않게 될것 같아 규제해야한다고 생각한다. 또한 어른이나 선배에게 들은 욕은 듣더라도 자신이 자신에게 욕을 하지 말라는 신호를 보내지 않을까 생각 합니다. 그러므로 규제해야합니다.	부모님 혹은 선배님들이 우리를 매일 따라다니는 것은 아닙니다. 그리고 교실을 나가면 바로 교실이 아니게 되는데 꾸며지고 교실에서 비속어를 규제킨다 하여도 무조건 욕을 할 수 밖에 없습니다. 규제 한다 해도 별로 소용이 없을 것 같아 비속어 사용을 규제크는 것에 대하여 반대합니다.		
셋째	반대측은 효과가 없다고 하는데 그래도 노력 하면 효과가 있지 않을까 생각해요, 반대측은 방안을 내지 않으며 또한 비속어에 심각성을 모르고 있습니다. 그러니 이런 비속어를 막기 위해서는 캠페인 같이 함께 할 수 있는 이벤트 들을 해야한다 생각합니다. 그러니 비속어 사용을 규제해야 란다고 생각합니다.	교실에서 규제하면 사회에서 욕을 할 수 있고, 사이버 폭력 등으로 번질 수도 있습니다. 또한 자기사능능력을 위해 비속어를 사용하기 때문이고, 이미 초등학교에서도 규제를 가졌는데 지금 중학교 까지 와서도 욕을 사용하고 있습니다. 이런 점에서 규제는 소용없고 캠페인을 통하여 규제 해도 자유도 이러나 소용없다. 그러니 비속어규제를 반대.		

106 같이 토론

판정의 원칙

판정을 하다 보면 쉬울 때도 있고, 어려울 때도 있다. 가장 쉬울 때는 승패가 눈에 띄게 나타날 때이다. 어느 한쪽이 어눌하여 주장을 제대로 못 했거나, 주장에 대한 반박을 하지 않고 다른 주장을 펼쳤거나, 주장을 했는데 논제에서 벗어난 주장이거나 하는 경우는, 누가 보아도 승패가 명확해서 판정을 하는 데 어려움을 느끼지 않는다. 물론 판정의 결과를 발표할 때에도 큰 어려움이 없다.

그런데 승패가 비슷한 경우는 판정을 하기가 조심스러워진다. 그래서 판정의 원칙을 하나씩 대응해 보아야 한다. 판정은 토론자들이 자신의 역할을 잘하고 있는지를 살피는 것이다. 토론을 하는 사람들의 역할, 책임을 다했다면 그 팀이 승리하는 것이다. 토론자들에게 주어진 책임은 무엇일까?

첫째, 입증의 책임이다. 입증의 책임이란 자신의 주장이 옳다는 것을 증명해야 할 책임이다. 이 책임은 대체로 찬성 측에게 더 물어야 하는 것이다. 찬성 측은 자신들의 주장이 옳다는 것을 논리적으로 내세우며, 반박의 과정을 통과해야 한다. 반박의 과정은 곧 검증의 과정인 셈이다.

논리적인 증명이 훌륭하다고 듣는 사람들이 생각을 했다면, 찬성 측은 입증의 책임을 다해서 '설득'이라는 토론의 목적을 달성한 것이 된다.

"맞아, 네 말대로 하는 것이 낫겠어."

이런 반응을 이끌어내는 주장을 하려면, 말하려는 내용이 논리적이고 유기적인 체계로 잘 짜여 있어야 한다.

① 책을 읽어야 하는 이유는 첫째, 인간의 지혜를 전수받을 수 있게 하기 때문입니다. 인간의 오랜 역사 속에 존재하는 지혜가 책 속에 담겨 있어서, 그 책을 읽으면 우리의 지혜가 생겨나게 됩니다. 예를 들어 유대인들은 『탈무드』라는 책을 통해 그들의 지혜를 전했습니다. ○○○의 연구에 의하면 사람의 생각은 어떤 글자를 보았을 때 작동을 시작한다고 합니다. 글자가 인간의 뇌가 작동하도록 시동을 거는 것이라고 합니다.

② 책을 읽어야 하는 이유는 첫째, 우리가 똑똑해질 수 있기 때문입니다. 책을 읽지 않으면 바보가 됩니다. 따라서 똑똑한 인간이 되려면 먼저 책을 읽어야 하는 것입니다. 우리 반에서 공부를 못하는 아이들을 보십시오. 그들은 수업 시간 외에는 책을 보지 않습니다.

누가 입증의 책임을 다하고 있는가? 누구의 주장을 듣는 것이 더 책을 읽어야겠다는 생각이 들까?

'책을 읽어야 한다.'라는 자신의 주장을 내세우기 위해서는 핵심적

인 이유를 3~4개(3개 정도가 적당) 마련해야 한다. 그런 다음 각각의 이유(중심문장)에 살(뒷받침문장)을 붙여야 한다. '중심문장+뒷받침문장+근거(예시)문장'의 구조를 이루어야 그 하나의 이유에 설득력이 생긴다. 그래야 주장에 대한 입증이 되는 것이다.

학생들의 경우, 이 짜임이 매끄럽게 연결되지 않는 경우가 많다. 그래서 부자연스럽다고 느껴지면, 듣는 사람들이 그 부분에서 고개를 갸웃거리느라 나머지 내용을 제대로 들을 수가 없다. 주장의 이유를 뒷받침해주는 문장이 없이, 이유만 말해 놓고 바로 사례를 제시하는 경우도 설득력이 약해진다. 왜 그런 이유가 타당한지에 대한 설명이 없어서 설득력이 약해지는 것이다.(이유와 근거 사이의 연결고리가 없는 셈이다.)

①의 경우, 왜 지혜가 전수되는지 설명하고 있어서 고개를 끄덕일 수 있다. 그런데 ②의 경우에는 왜 똑똑해지는지 설명이 되어 있지 않다. 입증의 책임을 다했다고 보기 어렵다. 3개의 문장으로 되어 있기는 하지만 중심문장과 뒷받침문장의 관계가 애매하고, 근거 또한 적절하지 않다.

판정관은 이러한 '입증의 책임'을 판정의 제1의 기준으로 삼는다. 토론을 들으면서, 입론이 너무 약하거나 이상한 내용이라는 생각이 든다면, 입론자가 입증의 책임을 다하지 못해서 그런 것이다.

가끔 토론에서 입증의 책임을 다하지 않는 입론들을 볼 수 있다. 이런 입론을 들으면 '아차, 토론이 제대로 진행되지 않겠구나!'라는 느낌이 오면서 걱정이 앞선다. '내가 더 잘 가르쳐야 하는구나!' 교실 토론에서 한 학생이 한 입론을 보면 주장이 정리되지 않아서 전달도 제대로 되지 않겠다는 것을 느낄 수 있다.

교실에서 비속어 사용을 규제해야 하는 이유는 첫째, 비속어가 또래 간 오해를 불러오기 때문입니다. 그 친구는 복도에서 다른 친구와 다툼을 하다가 화가 난 상태로 교실에 들어왔는데, 옆에 있는 친구에게 비속어를 쓰면, 그 친구는 자기에게 화가 나 있는 것으로 오해를 하게 됩니다. 둘째, 비속어는 논란거리를 만듭니다. 비속어를 들으면 기분이 나빠집니다. 셋째, 비속어는 지능이 낮아지게 만듭니다. 유튜브 이지 조사 결과, 비속어를 들을수록 해마 크기가 작아지고, 두뇌 발달이 늦어진다고 합니다.

비속어를 규제해야 하는 이유가 오해를 불러오기 때문이고, 논란거리를 만들기 때문이라는 것이다. 규제해야 한다는 주장이 옳다는 것을 제대로 증명하고 있다고 보기는 어렵다. 또 비속어를 들으면 왜 해마가 작아지는지 설명이 없어서 무슨 말을 하는지 납득하기 어렵다.

한편 논제를 엉뚱하게 해석해서 입증을 하지 못하는 경우도 있다. 아직은 토론을 배우는 입장이라서 이런 실수를 하게 되는 것이라고 설명하며, 더 타당한 주장을 끌어내기 위해 노력하자는 말을 한다. 다음의 입론을 보면 '교실에서 비속어를 규제'해야 하는 이유인지 의심스러운 내용이다.

교실에서 비속어 사용을 규제해야 하는 이유는 첫째, 남에게 피해를 주기 때문입니다. 뉴스 기사를 보면 10대 딸에게 비속어를 쓰면서 폭행한 아버지가 징역형을 구형받았다고 합니다. 아버지가 딸에게 피해를 입힌 것입니다.

가정에서 부모가 자녀에게 비속어를 쓰면서 피해를 입혔는데, 교실에서 비속어 사용을 규제하는 것과 무슨 상관이 있는지 생각해야 한다.

둘째, 문제 해결의 책임이다. 이것은 토론을 통해 현재의 문제 상황을 해결할 수 있어야 한다는 것이다. 토론은 현재 나타나고 있는 문제를 해결하기 위한 말하기이다. 찬성 측은 '바꿔야 한다.'라고 설득력 있게 주장을 전개하면서 바꾸어야 현재의 문제가 해결될 것이라고 설득해야 한다. 반대 측 역시 마찬가지다. 찬성 측의 주장이 문제를 해결하는 것이 아니라고 반박해야 한다.

그런데 토론의 전개가 비슷비슷하다고 한다면, 즉 어느 쪽의 주장 전개가 더 설득력이 있는지를 판단할 수 없다면 굳이 비용을 부담하면서 '고쳐야 할' 필요가 없는 것이다. 따라서 양쪽이 비슷하다면 당연히 반대 측이 이기는 것이 된다.

지금의 상태를 바꾸기 위해서는 많은 비용과 노력이 들어간다. 고쳐야 할 필요도 없는데, 정신적·경제적 비용을 지출할 필요가 없는 것이다. 찬성 측은 그럼에도 그 효과가 비용보다 더 크다는 것을 충분히 입증해서 현재 상태의 문제를 해결해야 하는 것이다.

문제를 해결하기 위한 것이라면서 반대 측의 마지막 토론자가 새로운 대안이나 주장을 내세우는 경우도 있다. 하지만 마지막 토론자의 주장은 검증이라는 과정을 거칠 수 없는 것이라서 문제를 해결하는 내용이라고 인정할 수 없다. 판정을 할 때에는 이 점도 고려해야 한다.

셋째, 반박의 책임이다. 반박의 책임은 상대방의 주장에 대해 충분히 반론을 제기해야 한다는 것이다. 토론을 하는 사람은 기본적으로 두 가지의 서로 다른 생각을 지니고 있어야 한다. 하나의 주장을 동전의 양면처럼 뒤집으면서 해석할 수 있어야 하는 것이다. 실제로 세상의 거의 모든 일들은 장점만 있는 것이 아니다. 반드시 단점도 있다. 그래서 상대방의 주장에 대해 논리적으로 오류가 없는지를 확인하는 반박을 해야 한다. 이러한 치열한 반박의 과정을 이겨낸 주장이 더 설득력이

있는 주장이다.

그리고 반박은 반대 측만 하는 것이 아니다. 찬성 측이 먼저 주장을 하면, 반대 측이 일차적인 반박을 한다. 그다음에는 찬성 측에서 반대 측의 반박에 대한 재반박을 하는 것이다. 이렇게 토론이 흘러가야 하기 때문에 토론은 단편적인 사고방식을 지닌 사람들은 하기가 어렵다. 그래서 토론이 복잡하다면서 어려워하는 사람들도 있다. 하지만 현실의 문제를 해결하는 것은 어디 쉬운가? 토론보다 훨씬 어려운 현실의 문제를 해결하기 위해서는 토론의 과정을 익히고, 토론을 더 학습해야 한다.

그리고 학생들은 가끔 반박할 말이 없다고 한다. 그런데 토론을 하다 보면, 어느 부분에서 반박이 가능한지 찾아낼 수 있다. 교실 토론의 한 장면을 소개한다.

찬성 측 첫 토론자의 주장의 일부이다.

교실에서 비속어 사용을 규제해야 하는 세 번째 이유는 비속어가 학습 능력을 떨어뜨리기 때문입니다. 서울대 연구팀의 연구 결과에 의하면 비속어를 사용하는 학생들은 계획성, 인내심, 자존감이 부족해서 학습 능력도 낮다고 합니다.

반대 측의 마지막 토론자가 반박한다.

자기제어, 인내심이 부족해서 비속어를 사용한다고 했으니, 자존감이나 인내심을 키워주는 것이 먼저 해야 할 일입니다. 규제한다고 해서 자기제어나 인내심이 길러지지 않습니다.

교실 토론이지만 반대 측 학생은 찬성 측의 주장을 제대로 파악해서 이 주장을 근거로 반박을 잘 이끌어내고 있다. 반박할 말이 없다고 할 것이 아니라, 논제에서 '교실', '규제'라는 것에 초점을 맞추어 미리 반박할 내용을 마련하고 토론에 임해야 한다.

더욱이 토론은 내가 찬성 측인지 반대 측인지 미리 알 수가 없다. 학교에서도 토론 수업을 하다 보면 학생들이 '반대 의견만 써도 되나요?'라고 질문을 한다. 당연히 안 된다. 왜냐하면 찬성이 먼저 주장을 하고, 그것이 대한 반박을 하는 것이 토론이기 때문이다. 당연히 찬성 측에서 이러이러한 주장이 나올 것이라고 예상하고 그것에 대한 반박을 준비하는 것이다. 그러니 찬성과 반박 두 가지를 모두 준비해야 한다. 그리고 토론의 흐름을 미리 예상할 수 있는 안목까지 있으면 더 좋다.(토론의 종류에 따라 찬성 측과 반대 측이 모두 주장을 하기도 한다. 그런데 이 경우는 각자 주장과 반박을 해야 해서 중학생에게는 오히려 더 힘들다.)

'내가 이런 주장을 하면 상대측에서는 이러한 반박을 할 것이다. 그럼 나는 다시 이런 근거를 들어서 재반박해야지.'

반대 측이 반박의 책임을 못 하는 경우는 대체로 미리 반대 주장을 마련해서 찬성 측 주장과 상관없이 주장을 내세우는 경우이다. 반대 측은 자신들의 주장을 잘 말했다고 생각할지 모르나 이것은 토론의 기본을 모르는 것이다.

원래 반대 측은 공격팀이 아니라 수비팀이다. 그 공격을 막아내야 할 의무가 있는 것이다. 지금의 상태를 유지하는 것이 더 좋다는, 지금 주어진 것을 지키고 싶다는 보수적인 입장인 셈이다. 그런 상태를 유지하고 싶은데, 찬성 측은 자꾸 새로운 것으로 바꾸자고 주장한다면, 반

대 측은 '새로운 것이 더 좋다.'라는 찬성 측의 주장에 대해 반박하면 되는 것이지, '지금의 것이 더 좋다.'라고 주장을 내세우는 것이 아니다. 그럴 필요가 없다. 찬성 측의 주장이 깨지면 당연히 현재의 상태가 유지될 것이므로.

다만 반박을 다 했다면 대안의 주장을 내세워 찬성 측의 주장을 무력화시키는 것이 좋은 방법이 된다. 그리고 찬성 측이 내세운 문제 상황을 인정한다면, 그 문제 상황을 해결하기 위한 다른 대안을 제시할 수 있다.

> 비속어 사용이 남에게 피해를 준다는 점은 인정합니다. 하지만 규제의 방법으로 비속어 사용이 줄어든다는 점은 인정할 수 없습니다. 강압적인 규제는 역효과를 불러옵니다. 이 경우에는 고운 말 사용 캠페인 등으로 비속어에 대한 경각심을 불러일으키는 것이 더 좋은 방법이 됩니다.

나는 토론을 판정하면서 양팀의 팽팽한 주장과 반박을 기대한다. 논리적인 주장이 있고, 그 주장을 반박하는 논리적인 근거들이 나열되는 것을 볼 때, 논리가 부딪히면서 불꽃이 일어난다. 토론을 보면서 긴장감이 느껴지고, 말들이 살아 움직이는 듯한 느낌이 드는 그 경험을 좋아한다. 막상막하의 토론을 보노라면 용과 호랑이가 다투는 듯한 느낌이 든다. 그 토론은 성공적인 토론일 것이다.

반대로 피장파장의 토론은 어떠한가? 토론 판정을 하려고 앉아 있는 나조차도 맥이 빠진다. 도무지 입증하려는 노력, 문제를 해결하려는 노력도 보이지 않고, 반박의 책임도 보이지 않을 때는 속으로 무력감이 느껴지기도 한다. 그러면서 과연 토론 수업을 잘 진행하고 있는가 하는 물음을 내게 던진다.

VI

토론을 대하는 자세

작년 여름, 토론을 담당하는 한 선생님으로부터 연락이 왔다. 제주
시교육청에서 토론대회를 없애고 있다고, 서귀포시교육청에서는 어떻
게 하는 것이 좋겠느냐고 의견을 묻는 내용이었다. 순간 마음이 좀 어
두워지면서 뭐라고 답을 드려야 할지 고민이 되었다.

사실 나는 서귀포시에 살면서 서귀포시 교육에서 가장 특화되고 활
성화되어 있는 부분이 토론이라는 사실에 자부심을 갖고 있다. 아무래
도 서귀포시에서 그동안 방학마다 청소년토론아카데미를 실시하고 있
고, 또 초기에는 교사들을 대상으로 한 토론아카데미도 있어서 교사와
학생들의 토론에 대한 관심과 능력이 뛰어나다고 마음 속으로 흐뭇해
하고 있는 터였다. 또 학생문화원에서는 초등학생들을 대상으로 한 초
등토론아카데미를 열고 있어서 토론에 대한 관심이 계속 이어지고 있
는 상태이기도 했다.

재작년부터인가 초등학생을 대상으로 한 토론대회가 없어졌다. 키
작은 아이들의 또랑또랑한 목소리를 들을 수 없게 된 것이다. 아마 초
등학교 선생님들에게는 부담이 되었던 것 같다. 무엇보다도 초등학생
들은 자신들의 토론 능력을 키우는 것보다는 승패에 연연하기가 쉬울
것이고, 그래서 토론으로 상처받을 수도 있다는 느낌이 들었다. '초등토

론대회는 그래서 없어졌을 거야.'라고 속으로 생각을 정리하고 있었다.

그런데 이제 중학생을 대상으로 한 토론대회를 없앤다고 하니, 걱정이 되는 것도 사실이다. 학교 수업 시간에 토론을 실시하고, 각 학교마다 교내토론대회를 연다고는 하지만, 교육청 토론대회가 없어지면 교내토론대회도 점차 없어질 것이고, 학생들의 토론에 대한 관심도 약해지지 않을까 하는 노파심이 드는 것이다.

학년 초에 교사들의 업무분장을 할 때, 나는 '토론은 당연히 내가 맡아야지.'라고 생각한다. 토론을 좋아하기 때문에 그것이 하나의 업무로 느껴지지 않는 것이다. 그래서 다른 선생님이 토론을 맡게 되면, 찾아가서 그 업무는 내가 하겠노라고 말한다.

사실 우리 혼디모영연구회에서도 토론의 변화를 감지하고 있다. 그래서 다양한 토론의 형태를 연구하며 학교 수업에서, 초등·중등 토론아카데미에서 적용하고 학생들과 같이 배워나가고 있다. 그런데 토론대회가 없어지고 토론의 비중이 약해진다면 과연 이것이 교육적으로 좋은 방향일까 하는 의구심이 드는 것은 어쩔 수가 없다. 토론대회가 있건 없건 당연히 토론 교육은 실시해야 한다. 그래도 아쉬운 마음이 내내 계속된다.

디베이트 토론이 경쟁인 것은 사실이다. 나도 토론 연수를 받을 때 토론 경험을 여러 번 했다. 그리고 그때, 승패의 경험을 많이 했다. 물론 승리를 더 많이 하긴 했지만 말이다. 그런데 나에게 강한 기억으로 남아서 토론을 더 열심히 하게 만드는 것은 승리의 경험이 아니라 패배의 경험이다.

그때 우리는 '원자력 발전을 축소해야 한다.'라는 논제를 가지고 토론을 하고 있었고, 나는 찬성 측이었다. 더욱이 당시 동일본대진이 일어난 지 오래되지 않은 때여서 원자력 축소를 주장하는 찬성 측이 더 쉬

워 보이기도 했다.

그런데 나는 토론에서 졌다. 이미 참고자료들을 읽은 터라, 우리 측이 질 것이라고 생각하지 않았는데 말이다. 나는 제대로 반박을 하지 못했다는 것 때문에 그날 밤 잠들기가 어려웠다. 상대측이 원자력이 환경오염을 시키지 않는, 탄소배출이 전혀 없는 친환경에너지 자원이라는 주장을 하는데, 나는 제대로 반박하지 못한 것이다. 나는 한 문장만 말하면 되는 것이었다. '그렇다면 후쿠시마 원전 피해를 당한 사람들에게도 원자력이 친환경이라고 말할 수 있습니까?'라고 말이다.

하지만 나는 이런 경험을 통해 토론에서 진 아이들의 마음을 헤아릴 수 있게 되었다. 그리고 그런 아픔이 있지만 성장하는 기쁨이 더 크다고 말할 수 있다. 어차피 토론은 승패가 있는 것이고, 내가 꼭 이겨야 한다거나 이기는 것은 아니다.

그런데 이런 토론의 아픔이 있다고 해서 토론대회를 없애야 할까? 구더기 무서워서 장 못 담그는 것은 아닐까? 어디에서 맛있는 장을 구할 것인가?

나는 최근에 '차이나는 클래스'에서 『공정하다는 착각』이라는 마이클 샌더스의 책에 대한 강의를 들었다. 너무 재미있고 유익했는데, 학교에서 아이들에게 꼭 질문을 해 보리라 생각했다. 예전 학교에서 토론반 학생들과 같이 『정의란 무엇인가』라는 책을 읽고 토론을 했었기 때문에 조금 친숙한 느낌이 드는 작가이기도 해서, 더 새 책에 관심이 갔다. 내가 올해 꼭 읽어야 할 책이다.

이 책을 읽고 나면 아이들에게 질문을 할 것이다. 수업 시간에 '착한 소비'의 문제에 대한 교과서의 글을 읽을 때, 공정무역에 대한 이야기가 있었다. 그리고 '차이나는 클래스'에서 참석자들에게 주어졌던 질문을 떠올리면서 물었다.

'능력에 따른 차별은 정당하다고 생각하나요?'

나는 "정답은 정해져 있는 것이 아니다. 다만 그 이유나 근거가 논리적이면 그것이 정답이 된다."라고 토론식의 사고를 말해 주었다. 아이들은 '예, 아니오.' 중에서 하나를 택해서, 그 이유들을 설명했다. 대체로 공정하다는 답변들을 했다. 우리는 이렇게 토론을 한다. 그리고 우

리 교실은 자연스럽게 토론의 현장이 되는 것이다.

이것이 바로 비경쟁, 자유 토론이라고 말하는 것에 해당된다. 수업 시간에 자연스럽게 전개되는 교육 활동에 이미 포함되어 있다. 그리고 이것은 토론을 잘 할 수 있도록 도와주는, 토론을 친숙하게 느끼도록 도와주는 활동이다. 근거를 들어서 자신의 생각을 논리적으로 주장하는 법을 배우는 것이다.

요즘 토론의 방향이 비경쟁 토론이라는 말을 듣고는 다시 생각해 본다. 과연 비경쟁 토론이 토론의 본모습에 접근하고 있는가? 나는 우리가 학교에서 했던 수업 활동들이, 토론으로 가는 모든 과정이 비경쟁 토론이라고 생각한다. 질문을 만들어서 던지는 것, 대답을 하고 서로 의견을 나누는 것, 장점과 단점을 분류하는 것, 모두의 의견을 포스트잇에 적어 칠판에 붙이면서 함께 좋은 의견에 별표를 달아주는 것 등등.

그리고 우리는 마지막 순간에 가서 논제를 정하고 실제 토론을 해왔던 것이다. 그런데 그 장면만을 본 사람들은 그것만이 토론이라고, 토론이 경쟁을 낳는다고 말하고 있다는 생각이 든다.

나는 토론을 사랑하는 교사로서 토론대회를 없애는 것이 토론 문화를 확산시키는 데에 도움이 된다고 생각하지 않는다. 그리고 비경쟁 토론이라는 말 자체도 약간의 모순이 있다고 생각한다. 토론은 논쟁하는 것이고, 논쟁은 당연히 어느 쪽이 더 합리적인가, 논리적인가를 따지는 것이다. 그러니 너도 옳고, 나도 옳고, 경쟁하지 않는 것을 토론이라고 말할 수 있을까.

나는 넓은 범위의 토론, 즉 토의 활동까지를 토론이라고 생각한다. 그리고 다양한 토의 활동들을 한 다음에는 좀 더 깊이 있게 하나의 주제를 가지고 토론 활동을 해야 한다고 생각한다. 민주 사회의 시민은 자신의 주장을 논리적으로 말하고, 다른 사람의 주장을 판단하면서 수용

할 수 있어야 한다.

이런 활동들은 주장과 논박을 통해서만 얻을 수 있지 않을까.

디베이트 찬반 토론만 보고, 경쟁을 부추기는 것으로 여기는 것은 전적으로 오해라고 생각한다. 디베이트 토론으로 가기까지 여러 가지 다양한 토의의 과정(이른바 비경쟁 토론)을 거친다. 이런 과정 없이는 절대로 디베이트 토론을 제대로 진행할 수 없다. 그리고 교실에서 토론 학습을 하는 학생들 또한 마지막 단계인 디베이트 토론에 대한 관심이 제일 크다. 그러니 그것을 빼고 비경쟁 토론으로 바꾸자고 하는 것은 목표에는 도달하지 말고, 근처까지만 가자고 말하는 것과 같다.

기억에 남는 토론 수업이 있다. 마지막 단계가 디베이트 대립 토론이라서 찬성 측과 반대 측 토론자 6명의 대표가 필요했다. 지원자를 찾았는데, 12명의 학생이 대표 토론을 하겠다고 나서서, 토론을 두 번이나 했다. 그런데 처음 토론하는 날에 한 학생이 자기도 대표 토론을 하겠다는 것이다. 나는 다음 시간에 토론할 학생에게 부탁하라고 했는데, 아무도 양보해주지 않는다며, 왜 자기가 결석한 날에 토론자를 정했느냐고 속상해했다. 그래서 그럼 선생님 대신에 판정평을 해 달라고 했더니 흔쾌히 '예.'라며 대답했다.

이런 학생들이 있어서 토론 수업은 더 신이 난다. 이런 학생들에게 마지막 단계인 디베이트 토론을 빼 버린다면, 그것은 학생들의 열기에 찬물을 끼얹는 것과 같다고 생각한다.(이 학급 학생들은 교내토론대회에도 11명이 참가했다. 1학년인데도.)

그래도 토론은
계속되어야 한다

03

토론대회를 하든 하지 않든, 경쟁이든 비경쟁이든 토론 교육은 계속되어야 한다. 나는 교육의 목적이 '생각하는 인간'을 만드는 것이라고 믿기 때문에 어떻게 생각하느냐가 그 인간을 결정한다고 본다. 따라서 합리적으로 생각하고 논리적으로 주장하는 방법을 배우는 토론을 멀리할 수가 없다.

오늘도 수업 시간에 말했다. 그림책 토론을 하는데, 유튜브에서 그림책을 다 같이 감상하며 읽은 후에, 질문을 10개 만들어야 했다. 아이들이 깊은 고민에 빠진 모습으로 고개를 갸우뚱거리고 있을 때, 내가 말했다.

"선생님은 심술쟁이인가 봐, 난 너희들이 고민하는 모습을 볼 때가 제일 행복해."

"어, 왜요?"

아이들이 의아한 표정으로 묻는다. 이렇게 대답했다.

"너희들이 생각하는 모습을 보는 것이니까. 고민하면서 더 좋은 질문을 만들고 있으니까."

토론은 말을 잘하는 몇 명이 하는 것이고, 나머지 학생들은 수업의 관심에서 멀어질 것이라고 생각하는 사람들도 있다. 아니, 학생들 중에도 토론 수업을 한다고 하면, 꼭 토론을 하는 토론자만 수업을 한다고 생각하는 학생이 있다.

"그럼, 우리는 뭘 해요?"

토론은 말하는 것도 중요하지만 그 말이 받아들일 수 있는 타당한 말인지를 판단하는 것도 못지않게 중요하다. 토론은 우리가 바른 결정을 하도록 논리적으로 주장을 내세우는 것이므로, 판단하며 듣는 사람이 중요한 역할을 하는 것이다. 아무리 논리적이고 합리적인 주장을 했다고 해도, 듣는 사람이 그것을 판단해내지 못하면 그 주장은 묻혀버리게 된다.

"토론에서는 들어서 판정하는 것이 더 중요해."

내가 학생들에게 하는 말이다.

그리고 토론은 무엇보다도 재미있다. 본격적인 토론으로 가는 과정에서, 질문하고 대답하는 것도 재미있고, 학생들의 생각이 생동감 있게 툭툭 튀어나오는 것도 흥미롭다. 토론하는 교실은 살아 있는 느낌이 나고, 모두가 주인공인 듯한, 모두가 배우는 듯한 느낌이 든다. 그리고 토론이 있는 교실은 사회의 어느 한 모습처럼 느껴지기도 한다. 우리는 사회를 배워야 한다. 토론으로 문제를 해결하는 바람직한 방향이 무엇인지 찾는 연습을 해야 한다.

VII

토론의
실제

생활 속 생각하기

토론 수업을 하거나 다른 자료집을 만들려고 하면 가장 고민이 되는
것이 토론거리를 찾는 것이다. 이럴 때마다 이야깃거리가 담긴 책을 찾
는다. 그래서 세계 단편집이나 이솝우화, 탈무드, 세계의 전설 등을 뒤
지며 읽는다. 지금부터는 학교에서의 국어 시간과 가정에서의 대화 시
간을 통해 독서와 토론을 가르쳤던 경험이다.

『리딩으로 리드하라』라는 책을 읽으며 깊이 공감했던 교육의 문제
에 대해 이야기해 보려 한다. 세상의 모든 나라에서 공교육이 필요한
이유는 무엇일까? 우리 학교 아이들에게 물어보니, '인재양성'이라는 정
답을 말한다. 아마 나에게 질문을 했어도 똑같이 대답하지 않았을까?
그런데 책에 나와 있는 정답은 '생각하지 않는 인간을 만들어내는 것'이
었다. 그리고 이러한 사람은 시키는 일은 잘 하지만, 결코 사회의 리더
가 될 수 없다는 글도 있어서, 무엇으로 한 대 얻어맞은 느낌이 들었다.

그럼, 누가 사회의 리더가 될까? 책은 다시 이야기한다. 옛날부터 귀
족들은 자신들의 사회적 리더의 위치를 지키기 위해 자녀들을 '생각하는
인간'으로 교육시킨다고. 부유한 그들은 가정교사를 채용하거나, 비싼

사립학교에 보내면서 자녀들에게 끊임없이 생각하도록 한다는 것이다.

교사인 나도 이 책에 나와 있는 교육의 문제를 읽으니, 순간 가슴이 먹먹해지면서 반성도 하게 되었다. 나도 생각하지 않는 학생들을 만들어낸 것이 아닌가? 어쩌면 아이들의 무한한 생각의 싹을 더 이상 자라지 못하도록 잘라 버리지는 않았나 하는 반성도 했다. 그러면서 지금은 토론이라는 것을 가르치며 수업 시간에 활용하고 있으니, 그나마 자책의 마음을 돌리려고 한다.

교육의 궁극적인 목적은 생각하는 인간을 양성하는 것이라는 게 이 책이 주는 교훈이었다. 만약 생각이 없는 사람이 우리들의 리더가 된다면 어떻게 될지 생각만 해도 끔찍하다. 리더에 속하는 사람들이 생각이 없다면 그 사회 전체가 비극을 향해 나아가는 꼴이 될 것이다. 지식채널e에 등장하는 화면이다. 히틀러의 충복이었던 아이히만을 재판하는 장면이 나온다.

여기에서 '그가 유죄에 속하는 이유'는 무엇일까? 아무 생각이 없었

지식채널 e '그가 유죄인 이유' 영상의 한 장면

기 때문이다. 아무 생각도 없이 시키는 대로 남의 목숨을 빼앗는 일에 전념했기 때문이다. 생각의 무능이 말하기의 무능을 낳고, 말하기의 무능이 행동의 무능을 낳는다는 말이 이해가 되었다.

내가 이 영상을 본 것은 여름방학 중 어느 식당에서였던 것 같다. 막 숟가락을 입으로 가져가는 순간 위의 화면이 나오는데, 나는 마치 정지 화면처럼 몇 초인가 그대로 멈춰 있었던 기억이 난다. 너무나 단순하고 명확한 진리를 말해 주는 장면이었기 때문이다. 우리는 생각한 대로 말을 하고, 그 말은 행동으로 이어진다. 우리 속담 중에 '말이 씨가 된다.'라는 말이 있는 것처럼. 그러니까 생각이 말을 낳고 말이 행동을 낳는 연쇄적인 일들이 벌어지는 것이다. 우리는 생각해야 한다. 울어서 슬픈가? 슬퍼서 우는가?

우리 교실의 한 장면이다. 한 학생이 숙제가 있는 줄 모르고 숙제를 안 한 채로 왔다는 상황을 가정해 보자.

"왜 숙제 안 해 왔어요?"

"숙제 낸 줄 몰랐어요."

"숙제 낸 것도 몰랐단 말이에요?"

"몰랐다고 했잖아요."

이 상황에서 목소리가 커진다. 우리 교실에서 생각을 하지 않는 한 학생이 무능한 말하기를 하고, 그 학생의 행동은 무능하게 되고, 이러한 악순환이 일어나는 것이다. 반대의 상황도 있다.

"왜 숙제 안 해 왔어요?"

"죄송합니다. 숙제 낸 것을 까먹었어요."

"그걸 까먹었단 말이에요?"

"죄송합니다, 이제라도 할게요."

이렇게 말한 학생은 그 말처럼 숙제를 늦게나마 하게 된다. 그리고 이런 말하기와 행동하기가 반복이 되면, 그 학생은 숙제를 잊는 일을 잘못이라 여기고 조심하게 될 것이다. 앞의 학생은 숙제를 까먹은 것을 당당하게 여기고 잘못이라 생각하지 않지만, 뒤의 학생은 숙제를 까먹은 것을 잘못이라 여긴다. 그래서 행동이 고쳐진다.

내가 학생들에게 생각의 중요성을 말할 때 종종 들려주는 말이다.

'생각하고 행동하지 않으면, 행동한 대로 생각하게 된다.'

이제 생각의 문제는 사회의 리더가 되느냐 못 되느냐의 문제가 아니라, 바로 내 생활 속의 문제가 되기도 한다. 우리 교실 속 가상의 상황처럼 생각이 없으면 문제가 생기고 사람들 사이의 갈등의 골은 깊어지게 된다.

생각하기! 차근차근 바르게 생각하는 것은 우리 모두를 리더로 키워주는 열쇠이면서 갈등을 해결해주는 명약이다. 우리 주변에 이렇게 생각하는 사람이 많다는 것은 우리 모두를 위한 축복이 될 수도 있다.

생각을 일으키는 이야기

생각이 말을 만들고 말이 행동을 만든다. 생각하는 힘을 기르기 위해서 우리는 어떻게 해야 할까? 어떻게 이야기를 하면 상대방이 생각을 하고 그것을 받아들이게 될까? 대부분의 사람들은 자신의 생각을 바꾸려고 하는 사람을 만나면 경계심을 갖게 되고, 거부감을 가지게 된다. 그래서 생각을 바꾸려는 의도가 있다는 것을 들키면 안 된다.

그런데 이야기라면 어떨까?

옛날에 각각 한 아들을 가진 두 명의 엄마가 있었다. 그 엄마들은 당연히 아들을 훌륭한 사람(여기에서는 생각이 깊은 사람)으로 키우고 싶었다. 그러면서 어떻게 교육을 하는 것이 좋을까 궁리했다.

한 엄마는 아들을 엄하게 교육해야 한다고 생각했다.

> "○○, 오늘 아침에는 왜 늦잠을 잤나요?"
> "○○, 오늘 이 문장을 외우기로 하지 않았나요?"

엄하게 키워야 한다는 생각을 가지고 있었기 때문에, 당연히 엄한 말투에 얼굴 표정도 굳어 있었을 것이다.

또 한 엄마는 아들을 부드럽게 대하는 것이 더 좋을 것이라고 생각했다.

> "○○, 오늘 아침에는 몸이 좋지 않았나 봐요."
> "○○, 오늘 이 문장 외우기가 힘이 들었나 봐요."

이렇게 해서 각각의 아들은 다르게 성장한다. 엄한 교육을 시킨 엄

마 밑에서 큰 아들은 엄마의 그 엄한 틀에 자신을 맞추는 행동을 하게 되었다. 부드러운 교육을 시킨 엄마 밑에서 자란 아들은 부드러운 정신과 행동을 가지게 되었을 것이다.

그런데 생각은 엄격함과 부드러움 중에 어느 쪽을 더 좋아할 것인가? 또는 둘을 어떻게 조화시킬 것인가를 교사인 우리들이 선택해야 한다. 그러면서 우리는 이야기를 꺼낸다. 옛날이야기를 그대로 들려줄 수도 있고, 아니면 현장에서 상황에 맞게 지어낼 수도 있다. 어쨌든 옛날이야기 자체가 재미를 주고 거부감을 덜어줄 수 있기 때문이다. 그리고 옛날이야기의 가장 큰 장점 중의 하나는 얼마든지 이야기 속으로 말하는 사람과 듣는 사람이 끼어들 수 있다는 점이기도 하다. 위의 이야기에서도 가능하다.

"○○은 어떤 엄마의 아들이면 좋겠어요?"

"○○은 어떻게 생각하세요?"

다양한 질문을 하면서 이야기를 같이 이끌어가다 보면 교육하려는 의도 없이도 자연스럽고 재미있는 교육이 이루어진다. 이야기의 힘은 우리의 생각을 크게 만들어주는 것이다.

옛날 사람들, 특별히 학교에 다니지 않는 사람들도 집에서 또는 동네에서 옛날이야기를 들려줌으로써 생각하는 아이들을 만들었다. '착하게 살아라.'라는 말을 직접적으로 하지 않아도 나쁜 사람이 벌을 받는 무수한 옛날이야기를 들으면서 '아, 세상은 착하게 살아야 하는구나!'라고 느끼며 그렇게 살려고 노력했던 것이다.

내가 어렸을 때에도 어머니와 할머니를 통해 많은 제주도 이야기와 속담 등을 들었던 기억이 난다. 옛날이야기는 어린 시절 들은 뿌리 깊

은 이야기인지라 잘 잊히지 않고 생각이 나는 것이다. 그래서 내가 이야기를 좋아하게 되었을지도 모른다.

나의 이야기 경험 중 하나다. 어느 날인가 부모님이 밭에서 나무를 자르고 있었는데 내가 그 곁에 다가갔던 듯하다.

"얘야, 옛날부터 '다슴아방 괴기 써는 딘 가고데고, 촘아방 낭 깨는 딘 가지 말랜.' 헤쪄"(얘야, 옛날부터 '의붓아버지 고기 써는 데는 가도 되고, 친아버지 나무 패는 데에는 가지 말라.' 했다.)

"무사마씀?"(왜요?)

이러면 어머니는 나에게 그 말의 뜻과 쓰임새, 그리고 조심성에 대해 자연스럽게 가르쳐주었다. '행동을 조심해야 한다, 위험한 곳에 가지 말아라.'라는 가르침을 주는 어머니의 재미있는 말에 전혀 거부감이 들지 않았던 것이다.

어느 날은 어린 내가 밭에 가서 할머니와 함께 검질(잡초)을 매는(뽑는) 일을 할 때였다. 일하기가 싫은 나는 무성한 잡초가 싫어서, 할머니에게 이 잡초들은 왜 이렇게 빨리 자라느냐고 투덜거렸다. 할머니는 옛날이야기를 들려주셨다. 옛날에는 잡초도 없어서 사람들은 여름날, 나무 그늘에 앉아서 쉬기만 했다고. 그런데 그때 바람이 불어서 먼지가 쉬던 사람들 눈에 들어가니, 사람들이 무슨 바람이 불어서 우리를 힘들게 하냐고 불평을 했다고. 그것을 본 하느님이 그렇게 불평할 것이면 잡초를 뽑으면서 고생을 좀 하라고 잡초의 씨를 뿌렸다고.

그 말을 재미있게 들은 나는 더 이상 불평의 말을 할 수가 없었다. 하느님이 잡초의 씨를 더 많이 뿌릴까 봐 걱정이 되었던 것이다.

그런데 요즘 우리의 상황은 어떠한가? 우리는 이야기가 사라져 버

린 시대에 산다고 해도 지나친 말이 아니다. 옛날이야기를 하려고도 안 하고, 들으려고도 하지 않는다. 교실이 많이 바뀌어서, 또는 책이 너무 많아서, 또는 다른 재미있는 유혹거리가 많아서 옛날이야기에 귀를 기울이지 않는다. '선생님, 옛날이야기 하나 들려주세요.'라는 말은 사라진 지 오래다.

그런데 옛날이야기가 글로나마 남아 있다는 것은 참으로 다행이다. 아이들이 읽기만 한다면, 당연히 그들은 책 속에 빠져들 것이다. 우리의 어머니, 할머니를 대신하여 글자가 우리에게 옛날이야기를 들려준다. 아주 재미있는 이야기들이 책 속에 숨어 우리가 찾아 주기를 기다린다.

생각을 일으키는 독서

세상은 넓고 책은 많다는 생각을 가끔 하곤 한다. 어떤 때에는 '책을 읽는 사람들보다 책을 쓰는 사람들이 더 많은 것이 아닌가?' 하는 의문이 들기도 한다. 그만큼 우리 주변에는 책이 참 흔하다.

그런데 책을 읽지 않는 사람들에게 책이 많다는 것은 행운일까, 불행일까? 아마 책을 잘 읽지 않는 사람에게는 책이 많다는 것은 불행한 일이다. 너무 많아서 흔하기 때문에 점점 더 책을 멀리하게 되니까. 만약 책이 한두 권밖에 없으면 소중히 생각하면서 여러 번 읽었을 것이다. 또 다른 불행은 누군가는 그 많은 책들을 읽으면서 점점 더 나와는 다른 사람으로, 생각할 줄 아는 사람으로 되어 간다는 것이다. 상대적으로 책을 안 읽은 사람은 점점 더 작아지고…….

그런데 우리는 왜 책을 읽지 않게 되었을까?

평계 없는 무덤은 없다고 한 것처럼 이유는 너무 많다. 책보다 재미있는 것들이 주변에 널려 있거나, 아니면 책의 내용이 너무 어려워 이해가 안 되거나, 책이 재미가 없거나…….

책이 재미가 없다는 사람들은 왜 책이 재미가 없었을까? 나는 그 사람들이 책과 관련된 재미있는 경험을 해 보지 못해서일 거라고 생각한다. 재미없는 책들만 읽어서 그렇다고 생각한다. 또는 책과 관련된 억압된 감정의 경험이 있었을 것이다. 그래서 책을 읽는 과정이 어려운 숙제처럼 느껴졌던 것은 아닐까?

어린 시절에 엄마와 같이 읽었던 책들을 떠올려 보자. 그때는 책이 아주 재미있었을 것이다. 그러다 학년이 올라가면서 책의 수준을 높였을 것이다. 나이가 조금 들었으니, 재미있는 책 대신에 어렵게 느껴지더라도 수준에 맞는 책을 읽어야 한다는 생각으로 책의 수준을 높인 것은 아닐까. 그래서 책을 멀리하게 된 것은 아닐까? 그런데 나의 생각은 다르다. 책의 수준을 구분하기보다는, 우선은 책을 가까이하는 습관이 더 중요하다. 그러니 재미있고 쉬운 책을 찾는 것이 중요하다. 책의 수준보다 생각의 수준을 올리면 될 것이다. 내가 국어 교사로서 독후감 숙제를 내면 책을 별로 좋아하지 않는 한두 명이 꼭 질문을 한다.

"선생님, 신데렐라를 읽고 독후감을 쓰면 안 되나요?"

그러면 옆에 있던 아이들이 나 대신 대답을 한다.

"당연히 그걸 읽고 쓰면 안 되지. 그건 어린이용이잖아. 동화잖아. 안 돼."

아이들은 당연히 책에는 수준이 있어서 그 나이에 맞는 책을 읽어야

한다는 생각을 하는 모양이다. 그러면 다시 부드럽게 이야기를 해준다.

"당연히 읽어도 됩니다. 대신 독후감의 수준만 높이세요. 예를 들면 이 책에 나와 있는 신데렐라는 이 세상 모든 여성들의 욕구를 대신 나타낸다……."

그러면 아이들은 '꺄아!' 하면서 힘들어하는 시늉을 하지만, 힘든 책을 읽지 않아도 된다는 안도감을 느낀다.

신데렐라를 읽고 재미를 느끼고, 그다음 생각을 한다면 당연히 독서를 통한 생각 높이기에 적합하지 않을까? 내가 수업을 하면서 하는 실수 중의 하나는 아이들이 우리나라의 기본적인 소설들은 읽었을 것이라고 생각한다는 점이다. 예를 들어 '동에 번쩍 서에 번쩍' 하는 아이들을 보면서 '네가 홍길동이니?'라고 묻는 것이다. 그러면 아이가 '아니에요, 저는 ○○○예요.'라고 말하는 것이다.

우리나라의 기본적인 옛날이야기인 「심청전」도 마찬가지이다. 나는 당연히 초등학교 다닐 때 아이들이 읽었을 거라고 생각하지만, 읽지 않은 아이들이 많다. '효도'라는 주제의 글을 읽으면 내가 질문을 한다.

"여러분, '효도'라는 단어를 들으면 어떤 인물이 생각이 나요?"

나는 '심청'이라는 인물을 말할 줄 알았는데, 그런 대답이 나오지 않는다.

독서 수준을 말할 때 가장 먼저 생각나는 책이 또 있다. 바로 『어린 왕자』이다. 이 책은 초등학교 교과서에도 일부분 나와 있고, 중학교 교과서에도 일부분 언급이 되어 있다. 내가 중학교에 다닐 때에도 권장도서였던 것 같다. 그때 이 책을 읽으면서 조금 혼란스러웠던 기억이 난

다. 왜냐하면 나는 내가 꽤 책을 좋아하고 많이 읽은 줄 알았는데, 그리고 독서 수준이 있다고 생각했는데, 『어린 왕자』의 글귀들이 썩 인상적으로 다가오지 않았던 것이다. 그래서 나의 독서 수준이 높다는 생각을 지워버렸던 기억이 있다. 다만 책을 좋아하는 습관은 남아 있다.

지금 『어린 왕자』는 내가 가장 좋아하는 책 중의 하나이다. 중학교 때 읽었고, 고등학교 때, 대학교 때, 그리고 사회인이 되었을 때, 또 최근에도 읽었다. 대학생일 때부터 나는 『어린 왕자』가 명작이라는 것을 인정하게 되었다. 중학교 때는 '무슨 이렇게 이상한 책이 있나?' 아니면 '나의 독서 수준이 아주 떨어지는 것은 아닌가?' 등등의 복잡한 생각들을 했는데 말이다.

그러면서 나는 학생들에게 다시 권한다. 『어린 왕자』를 꼭 읽으라고. 한 번 읽어서 재미가 없다면 덮어두었다가 나중에 다시 읽으라고. 그러면서 나와 같은 느낌을 받으면서 깨달으면 더 좋겠다는 생각까지 한다. 이 책이 왜 이해가 안 되는지는 작가인 생텍쥐페리가 친절하게 대답해준다. 그는 분명히 머리말에서 이 책은 '어른을 위한 동화'라고 안내하고 있다. 그러니 어린아이들은 이해가 안 되는 것이 정상이고, 만약 이해가 된다면 그 아이는 정상을 뛰어넘는 비상한 아이가 되는 것이다.

동화도 마찬가지이다. 어린아이들만의 책이라고 여기는 동화는 모든 독서의 기본이면서 출발점이 된다. 고학년이 되었다고, 이제 중학생이 된다고 해서 동화를 버리지는 말기를 바란다. 나는 학생들이 어려운 책을 의무감에서 읽기보다는 쉬운 독서를 재미있게 하기를 바란다. 그것이 우리들의 생각을 더 자유롭고 다양하게 만들어줄 수 있다고 생각한다.

하지만 조금만 더 힘을 내야 한다. 쉬운 독서가 잘 되는 사람은 당연

히 높은 수준의 독서로 나아가야만 한다. 왜냐하면 그래야 자유로운 생각에서 논리적인 생각으로 나아갈 수 있다. 더불어 살아가는 사회에서는 아무래도 자유로운 생각하기보다는 논리적인 생각하기가 공동의 문제를 해결해 줄 테니까.

생각을 넓히는 토론

교사이면서 어른인 우리는 당연히 청출어람을 꿈꾼다. 내가 가르치는 아이들이 나보다 더 논리적으로 생각할 수 있기를 바란다. 생각은 듣기와 읽기, 즉 외부의 작용으로 일어나는데 독서는 생각을 키워주는 외부 자극 중에서 가장 강력한 것이라고 볼 수 있다. 그래서 무조건 독서, 즉 재미있는 독서를 하라고 한 것이다. 그런데 읽기만 하고 책을 덮는다면 아무래도 생각이 많이 자라지는 않을 것이다. 무엇인가 모자란 것이 느껴진다.

왜일까? 생각은 내가 하는 것이다. 그런데 세상은 나 혼자만 살아가는 공간이 아니기 때문에 그 생각은 바른 것이어야 한다. 나를 위해서 우리를 위해서 바른 생각을 하고, 나를 이롭게 하면서 남도 이롭게 하는 것이어야 한다. 그런데 혼자서 생각하는 것에만 그친다면, 나의 생각이 바른 것인지 알 수가 없다. 그러니 생각이 많다고 해서 생각이 큰 사람이라고 볼 수는 없다.

생각이란 원래 이기적인 것이라서 나 위주로 하게 된다. 책 속의 상황도 나 중심으로 해석을 하고, 인물의 행동도 나 중심으로 판단하게 되는 것이다. 작가의 의도도 나 중심으로 해석을 해서 자기에게 유리하도록 만들어버리기가 쉽다. 당연하다. 원래 생각은 나를 보호하는 일차적

구실을 맡고 있으므로 나 중심으로 돌아가게 된다. 그렇지만 우리는 이걸 뛰어넘어야 한다. 더 성장하는 나를 위해서. 그럼 어떻게 해야 할까?

나는 수업 중에 학생들에게 질문한다.

> "얘들아, 너희들이 이런 경우에는 국어 선생님의 말을 듣지 말아야 해. 어떤 경우에 듣지 말아야 할까?"

그러면 학생들은 이러저러한 다양한 대답들을 한다. 내가 생각하는 답이 나오지 않으면 다시 말한다. 내가 집에서 아들에게 '이런 경우'에는 엄마의 말을 듣지 말라고 하는데 어떤 경우이겠느냐고. 학생들이 이상한 대답들을 한다. 그러면 나는 다시 정답을 말한다.

> "선생님의 말을 들으면 자기 자신이 손해가 있을 것 같다, 망할 것 같다는 생각이 들면 선생님의 말을 듣지 말아야 하지. 왜냐하면 우리는 각자 나 자신을 위해 살아야 하는 거야."

나를 위한 이기적인 생각이나 행동은 남에게 피해를 주지 않는다. '나를 위하는 것'이 무엇인지 생각을 깊게 한다면 고개를 끄덕일 것이다. 나는 학생들이 진정으로 자기 자신을 위한 생각이나 행동을 하기를 바란다. 생각은 곰곰이 생각하고 주고받는 과정을 통해 성장한다. 그래서 대화와 토론이 필요한 것이다. 유대인의 교육 방식인 하브루타(짝을 지어 서로 질문, 대화, 토론, 논쟁하며 진리를 찾는 교육 방법) 강의를 들으면서 많이 부러웠다.

그 이유는 첫째, 그들이 읽는 책이 너무나 쉬운 『탈무드』였다는 것이다. 물론 그 속에 깊은 이야기를 함축하고 있기는 하지만, 짧고 재미있

는 이야기인 것은 분명하다. 만약 어려운 책으로 독서를 하고 토론을 한다면 그 교육 방식은 불가능했을 것이다. 유대인들은 그들의 옛날이야기 책인 『탈무드』로 독서와 토론, 교육을 이어가고 있었다.

다른 이유는 토론의 상대가 바로 친구였다는 점이다. 시끌벅적하게 친구끼리 토론을 하면서 서로의 생각을 키워주는 모습이 참 부러웠다. 세계 인구의 0.2%를 차지하는 유대인들이 세계의 리더가 되어 활동하는 것이 우연이 아니라는 것도 깨닫게 되었다. 그들의 독서, 특히 토론이 그들의 생각을 키워주었고, 그들이 세계의 리더가 되도록 만들었다고 생각한다. 그러면서 교실에서의 나의 모습을 돌아보기도 하고.

쉬운 독서, 가까운 토론!

우리도 우리가 읽은 책을 가지고 생각을 하고 그 생각을 교환하는 시간을 마련해야 한다. 그래야 내가, 우리가 더불어 성장한다. 같은 책을 읽고, 그 책을 읽은 친구끼리 책의 내용을 가지고 질문하고 토의하고 토론하는 과정을 거치고 나면, 우리는 더 크게 생각하고 성장하는 자신을 발견하게 될 것이다.

쉬운 책을 읽는 것에서 출발해야 한다고 한 이유도 여기에 있다. 토론을 하려면 일단 다 같이 그 책의 내용을 알고 있어야 하기 때문에 쉬운 책을 선정하는 것이 필요하다. 어려운 책은 개인차가 있어서 못 읽거나 이해하지 못하는 친구들이 있을 테니까 말이다.

나는 학생들이 책을 읽고 토론을 하면서 서로 성장하는 것을 도우며 그것에 기쁨을 느끼기를 바란다. 그리고 그 성장을 시작하는 시기가 이를 수록 학생들의 일생이 더 풍성해지는 것이다. 학생들은 이미 『이솝우화』를 읽었을 것이다. 이제 그 책 속으로 다시 들어가서 생각을 키워보자.

가상 변론하기
「여우와 염소」

내가 연구부장으로 일할 때, 당시 우리 학교는 법제처 지정 연구학교였다. 자유학기제 연구학교까지 겸하고 있어 가장 바빴던 때이기도 하다. 법제교육 연구이니 '법률이나 정의'라는 문제에 대해 어떻게 생각을 키워나가야 할지 고민하면서 소책자 형식의 자료를 만들었다. 다음은 토론과 연결시켜 보려고 만들어낸 기록으로, 나중에 제주시 초등독서교실에서 이 자료로 수업을 하기도 했다.

토론이라고 하면 보통 디베이트(찬반대립토론)를 생각하기 쉽다. 그런데 독서를 통한 토론은 생각을 넓히기 위한 것이므로 꼭 찬반토론을 고집할 필요는 없다. 오히려 서로의 다양한 생각을 자유롭게 교환할 수 있는 토의 형식이 더 바람직할 수도 있다. 이런 활동 모두가 넓은 의미의 토론에 포함되는 것이다.

그럼 지금부터『이솝우화』에 나온 한 편의 이야기 상황을 읽고 생각을 키우는 활동을 해 보자. 책의 내용을 잘 읽고 그 내용을 지금 나와 우리의 상황에 적용해보는 것이 더 좋은 활동이기도 하다.

「여우와 염소」의 이야기는 모두가 잘 알 것이다. 깊은 우물에 빠진 여우가 우물 밖으로 나갈 방법을 궁리하는 중에, 지나가던 염소가 물맛이 좋으냐고 물어본다. 여우는 물맛이 시원하고 좋다며 내려와서 마시라고 권하고, 염소는 내려간다. 물을 마시고 나서 염소가 나갈 방법을 물어보니, 여우가 염소에게 등을 빌려주면 자기가 먼저 나가서 염소를 꺼내주겠다고 한다. 우물 밖으로 나간 여우는 도와달라는 염소를 비웃으며 달아나버린다.

우화를 읽고 각자 생각을 정리해 보자. 그리고 그 생각을 발표하면

서 교환해 보자. 그러면 나만의 생각이 아닌 우리들의 생각을 알 수 있고, 합리적이고 민주적인 해결 방안에 대해서도 배울 수 있을 것이다.

다음은 내가 위의 이야기 이후의 상황을 가정한 것이다.

이 일로 염소는 물에 빠져 죽었습니다. 그리고 염소와 여우가 대화하는 장면을 날아가던 까마귀가 보고, 사정을 알게 된 까마귀가 염소의 가족에게 전해주었습니다. 사실을 알게 된 염소의 유가족은 국가와 여우를 상대로 손해배상을 청구하였습니다. 재판을 통해 판결이 내려집니다. 여러분이 바로 그 재판관입니다. 유가족을 대표하는 변호사와 그 소송을 받아들이는 국가 측, 염소 측의 변호사가 각각 자기 측의 입장을 변호하게 될 것입니다. 변호 의견을 작성해 봅시다.

여기까지는 각자의 의견을 작성한 것이다. 그러나 개인의 의견이라도 반드시 근거를 들어서 생각을 세워야 한다. 그리고 그 근거가 타당해야 함은 물론이다. 이 주장을 친구들 앞에서 발표한다. 이제 친구들의 주장을 하나씩 들어보면서 생각을 정리하게 한다. 토론이란 서로의 생각을 확인하는 활동이다. 나와 다른 의견이 나올수록 나의 생각은 커갈 것이다. 왜냐하면 나와 친구의 생각을 비교하고 받아들이고 수정하면서 내 생각이 바르게 세워져 나갈 것이니까. 친구들의 주장을 정리하여 다수의 의견이 어디로 향하는지 알아볼 차례다. 국가의 책임 ( )%, 여우의 책임 ( )%, 염소의 책임 ( )%의 순서로 정리하고 각각 색을 달리해서 칠한다. 그러면 한눈에 누구의 책임이 가장 큰지 알 수 있다.

1. 국가에 책임이 있다.

근거

결론
(배상액)

2. 여우에게 책임이 있다.

근거

결론
(배상액)

3. 염소에게 책임이 있다.

근거

결론
(배상액)

차례	이름	10	20	30	40	50	60	70	80	90	100
1											
2											
3											
4											
5											
6											
7											
8											
9											
10											
11											
12											
13											
14											
15											

가상 변론하기
「늙은 사냥개」

『이솝우화』는 거의 모든 이야기가 생각할 거리, 즉 토론거리가 된다. 그래서 초창기 토론을 할 때 가장 많이 소재로 활용했다. 내 방의 책꽂이를 보니『이솝우화』책이 4권이나 된다. 그런데 찬찬히 비교해보면 4권의 책에 실린 글들이 겹치지 않는 것들도 있다. 이렇게 생각하면 이솝은 도대체 얼마나 많은 이야기를 남긴 것인지 감탄하게 된다.

「늙은 사냥개」(내가 처음 읽었던 책에서는 「늙은 개의 하소연」)도 그중의 하나다. 이 이야기는 한 인간을 평가하거나 대접할 때 어떤 자세를 가져야 하는가에 대해 생각해 보게 한다. 고령화 사회로 접어드는 우리나라에서는 더 관심을 가져야 할 소재이기도 하다.

「늙은 사냥개」의 내용은 조금 서글플 수도 있다. 젊어서 뛰어난 사냥 실력으로 주인의 사랑을 받던 사냥개는 늙어서도 주인의 사냥에 따라다닌다. 쓰러진 수사슴을 물었다가 이빨이 부러져서 놓친 후, 그는 주인에게 채찍을 맞는다. 그러자 늙은 것은 내 탓이 아니며, 자기가 젊어서 어떻게 했는지 생각해 보라며 하소연하는 이야기이다.

여기서 늙은 개를 대하는 주인의 태도를 살피기로 했다. 그래서 우리는 「늙은 사냥개」에서 주인의 태도는 옳다.'라는 논제 토론을 했다. 대부분의 학생들은 주인을 사업을 하는 사장의 입장으로 해석하였고, 늙은 개는 그 회사에 고용된 노동자로 해석해서 자신들의 입장을 밝히고 있었다. 3:3 찬반 디베이트로 토론을 전개했다.

만약 지금 다시 한다면 가상 변론으로 진행하고 싶다. 물론 그 뒷이야기를 가상해서 전개해야 한다.

매일 사냥터에서 힘들게 달리며 사냥을 해야 하는 늙은 개는 사장의 눈 밖에 날까 노심초사하면서 하루하루를 버티고 있었다. 이러한 힘든 노동과 사장의 멸시는 계속 이어졌고, 이런 스트레스로 인해 늙은 개는 우울증, 대인기피증에 걸려 사회생활이 힘들어지게 되었다. 이에 늙은 개의 가족들은 사장을 상대로 손해배상 소송을 청구하였다.

학생들에게 주인과 늙은 개 중에서 한쪽을 선택해서 변호하는 글을 써보도록 한다. 주인의 입장에서는(고용주의 입장에서는) 경제 논리를 더 내세우면서 사장의 잘못이 없음을 밝혀 나가거나, 혹은 주인의 잘못이 크지 않다는 점을 부각하면 될 것이다. 늙은 개의 입장에서는(고용자의 입장에서는) 인권을 바탕으로 해서 사장이 기업 윤리를 어기고 있다는 점을 부각시켜서 늙은 개가 적절한 보상을 받도록 변호하면 될 것이다.

현대 사회를 살아가면서 우리는 고용주가 되기도 하고, 고용자가 되기도 한다. 이를 상기하면서 서로 공존할 수 있는 방안을 마련해봄으로써 건강한 미래 사회에 대해서도 생각하는 기회가 될 것이다.

가상 변론하기
「도둑과 어머니」

어떻게 성장할까

'생각하고 행동하지 않으면, 행동한 대로 생각하게 된다.'라는 말은 내가 학급의 아이들에게 종종 하던 말이다. 그만큼 '생각'이라는 것은 나의 행동을 안내해주는 중요한 존재이다. 그래서 책을 읽을 때에는 생

각할 거리를 찾는 것이 중요하다. 그냥 선생님이 독후감을 쓰라고 해서 책을 읽는 것이 아니라, 책이 나에게 묻는 것이 무엇인지를 곰곰이 생각하면서 읽어야 한다. 그러니 가끔 책을 읽다가 먼 산을 한번 바라다보는 것은 생각할 시간을 벌어주는 습관이 될 수 있다.

이런 자세로 책을 읽으면 책이 우리에게 주는 선물이 참 많다. 인간에 대한 이해를 높여주고, 여러 사물에 대한 지식을 쌓게 해주고, 주변을 바라보는 적절한 시선을 가지게 해 준다. 그래서 자신의 행동을 돌아보고, 해야 할 일과 하지 말아야 할 일, 빨리 해야 하는 일과 천천히 해도 되는 일들을 구분하게 된다. 이것저것 무턱대고 덤벼드는 행동을 하지 않게 되니 차분함을 갖춘 교양 있는 사람으로 성장할 수 있다. 책들은 나에게 어떤 생각거리들을 주는가? 작가는 이 책에서 독자들이 어떤 생각을 하기를 바라는가? 이솝이 쓴 「도둑과 어머니」라는 짧은 이야기에는 어떤 생각거리들이 숨어 있는가?

내가 가진 『이솝 우화』 중에 한 권에만 「도둑과 어머니」라는 글이 실려 있다. 이 글은 개인의 성장에서 환경이 어떠한 역할을 하는지에 대해 생각해 보게 한다. 엄마와 어린 아들이 함께 살고 있었는데, 어느 날 아들이 친구의 글씨판을 훔쳐 왔다. 엄마는 야단치지 않고 두었다가 잘 쓰라고 한다. 그다음에 아들은 시장에서 속옷을 훔쳐서 엄마에게 선물하고, 이번에도 엄마는 좋아한다. 이렇게 성장하여 어른이 된 아들은 부잣집 담을 넘고 보석을 털어 자루에 담고 나오다가 순찰병에게 들켜 형장으로 가게 된다.

형장으로 가는 날, 우는 어머니의 목소리를 들은 아들은 병사에게 마지막으로 어머니를 보게 해 달라고 한다. 아들은 어머니에게 할 말이 있으니 가까이 와 달라고 하고는 어머니의 귀를 물어뜯는다. 노여워하는 주변 사람들에게 아들이 말한다.

"내가 이렇게 된 것은 모두 어머니, 모두 어머니 때문입니다. 내가 어릴 때 학교 짝꿍의 새 글씨판을 훔쳐 집으로 갖고 갔을 때, 어머니가 나를 심하게 꾸짖어 주셨어야 했습니다. 그랬더라면 내가 이렇게 젊은 나이에 이런 엄청난 형벌을 받게 되지는 않았을 겁니다."

생각의 꼬리 물기

이 글을 읽으면 여러 가지 생각들이 일어난다. 그것을 질문으로 만들어 친구와 같이 학습하면, 하브루타 학습이 되는 것이다. 꼬리를 물고 일어나는 여러 생각들을 연결하면 마인드맵 학습이 될 것이다. 우선 일어나는 생각들을 하나하나 적어보자.

생각은 누구나 한다. 그러면 왜 어떤 사람들은 깊이 생각하고, 어떤 사람들은 대충 생각하게 되는가? 나는 그것이 기록하는 습관과 관련이 있다고 생각한다. 듣기만 하고 생각만 하고 그냥 넘기는 버릇이 있는 사람은 생각을 발전시키는 것에 도달하지 못하는 것 같다. 토론을 하는 우리들은 생각거리들을 적어가면서 생각을 넓혀가도록 해야 한다.

우선 아들의 입장과 어머니의 입장에서 각각 살펴야 한다. 소설처럼 아들의 성장과정에 맞추어 살펴보자. 그 사건이 일어났을 때, 그들의 속마음은 어떠했을지 추리하면서 적어보자.

1. 아들이 맨 처음 글씨판을 훔쳐왔을 때	
아들	
어머니	

2. 아들이 속옷을 훔쳐왔을 때	
아들	
어머니	

3. 아들이 부잣집의 보석들을 털 때	
아들	
어머니	

4. 아들이 형장으로 끌려갈 때	
아들	
어머니	

여러 가지 질문들을 만들면서 가장 마음에 와 닿은 것은 '아들이 사형수가 된 것이 어머니의 잘못 때문인가?'라는 물음이다. 물론 어머니의 책임이 크다고 생각한다. 사물을 보면서 옳고 그름을 판단하는 능력이 서 있지 않은 어린 자식의 잘못을 지적하지 않은 것은 어머니의 잘못이라고 할 만하다.

그러나 한편으로는 다른 생각이다. 어린 시절에 어머니가 교육을 잘 시킨 자녀들은 다 올바른 어른으로 커 나가는가? 그리고 자녀들은 교육을 시키면 시킨 대로 따르기만 하는 피동적인 존재들인가? 그들이 선별하여 받아들인다면, 그것은 결코 어머니의 잘못이라고 말할 수 없지 않을까.

'잘되면 내 탓이고, 잘못되면 조상 탓'이라는 말이 괜히 생긴 말이 아니다. 누구나 지금의 잘못된 상황을 남의 탓으로 하여 자신을 정당화시키려는 경향이 있다. 그리고 똑같은 교육을 받거나 똑같은 상황에 놓이더라도 다 다르게 반응하고 성장한다.

이처럼 판단이라는 것은 정말 어려운 일이다.

논제는 자신이 책을 읽으면서 가장 크게 생각하게 된 생각거리이다. 교사로서 나는 착한 아이들을 자주 만나지만 모든 아이가 착하다고 말할 수는 없다. 솔직히 어떤 경우에는 말로 타이르고 대화를 이어나가는 것이 불가능한 아이들도 있다. 이런 경우에 나는 '왜' 그렇게 생각하는지, '왜' 그렇게 행동하는지를 계속 알고 싶지만, 아이들은 '그냥'이라고 하며 진지한 대화를 거부한다.

그러면 그 아이들의 잘못은 부모나 교사 등의 어른들이 잘못해서 생기는 것인지 생각하게 된다. 도대체 잘못된 생각이나 행동은 누구 때문인가? 대화로서 갈등을 해소할 수 없는 상황이 벌어지고, 이유 없는 생각들과 행동들이 벌어지는 일을 어떻게 설명할 수 있을까?

『이솝우화』에서도 그런 물음을 던지는 것이 아닐까? 단지 '바늘 도둑이 소도둑이 된다.'라는 그런 이야기만을 하려는 것은 아니라는 생각이 든다. 그래서 나는 아들이 도둑으로 성장해 나간 것이 누구의 책임인지를 생각해 보고 싶다. 아들이 도둑으로 성장해서 도둑질을 계속하다가 끝내는 형장의 이슬로 사라질 운명에 처하는 것이 어머니의 잘못 때문일까?

그래서 여기서는 '아들이 도둑이 된 것은 어머니의 책임이다.'라는 논제로 토론을 해 보려고 한다.

찬성 측 주장과 근거들을 살펴보자.

1. 어린아이는 어머니의 기준에 맞추려고 노력한다.
2. 사람은 대부분 부모를 통해 생활의 태도를 배운다.
3. 어린 시절에 받은 교육이 평생을 지배한다.

4. 저절로 선악에 대한 바른 판단이 생기지는 않는다.

5. 어린아이는 아직 선악에 대한 판단이 서지 않았다.

반대 측은 어떤 반박을 할 수 있을지 살펴보자.

1. 판단 능력을 키우지 못한 것은 본인의 잘못이다.

2. 주변의 많은 사람들에게서 가치관을 배우는 것이다.

3. 아이들은 실수를 통해서도 배운다.

4. 어머니가 도둑이 되라고 가르친 것은 아니다.

5. 선택의 책임은 언제나 본인에게 있는 것이다.

토론에서는 어느 것이 맞고 어느 것이 틀리지 않는다. 단지 어느 쪽이 더 근거가 타당한지, 사례가 풍부하여 설득력이 있는지가 중요한 것이다. 내가 맡은 쪽의 입장이 찬성이든 반대이든 하나의 방향으로 일관되게 주장을 전개해 나가면 되는 것이다. 그럼 '아들이 도둑이 된 것은 어머니의 책임이다.'라는 주장에 대한 토론을 시작해 보자.

1. 독서와 시

> "왜 책을 읽어야 하나요?"라고 질문하는 것은 "왜 밥을 먹어야 하나요?"라고 질문하는 것과 같다.
>
> - 김정자

이렇게 칠판에 적어 놓고 아이들의 표정을 보았다. 한 아이가 "선생님, 그건 좀 심한 비유인 것 같아요."라고 말한다. 그래서 나는 다시 말을 이어간다. 밥은 육체적인 건강을 위해, 생명을 위해 필요한 것이고, 독서는 정신적인 건강을 위해, 영혼을 위해 필요한 것이라고.

모든 교육에서 독서는 가장 근본이 된다. 학교와 사회에서 학습을 할 때도 우리는 책자를 펼쳐 놓고, 그 책을 통해 학습을 한다. 따라서 책을 많이 읽는 것이 학습 능력을 키워주는 바탕이 되는 것이다. 이것이 우리가 책을 많이 읽어야만 하는 이유이기도 하다.

이런 읽기를 바탕으로 우리의 학습 능력과 정신세계를 풍요롭게 만들어주는 것이 바로 대화이다. 같은 책을 읽고 그 책의 배경, 주인공, 사건, 갈등 관계 등에 대해 서로 대화를 주고받다 보면 그 책에 대한 이해

뿐만 아니라, 책을 보는 시선이나 사회와 인간을 대하는 높은 안목까지 갖추게 되는 것이다. 우리가 책을 많이 읽을 수만 있다면, 그리고 똑같은 책을 읽을 수만 있다면 대화의 기본 재료가 얻어진 셈이다.

그런데 가만히 생각해 보면 우리는 책을 많이 사랑하는 것 같지는 않다. 그리고 똑같은 책을 비슷한 시기에 읽는 것도 흔하지 않다. 세상에 책은 무수히 많아서 내가 읽은 책과 친구가 읽은 책이 다른 경우가 더 흔하다. 하물며 세상에는 책이 아닌 다른 즐거움을 만들어내는 존재들이 많아서 정신을 차리지 않으면 책을 잡기가 힘들어진다.

이런 독서 상황에서 토론을 위해 필요한 것이 바로 '시'다. 시는 짧은 글이라서 미리 과제로 읽어오지 않아도 수업 시간 내에 읽고 해석하는 것이 가능하다. 동시에 많은 사람들이 읽을 수 있는 것이라서 토론의 좋은 이야깃거리가 된다.

시를 세상과 조금 동떨어진 감상이나 낭만 정도로 치부해 버리는 사람들도 있다. 하지만 나는 시가 인간의 문화적 감수성을 풍부하게 키워주는 우아한 예술이라고 생각한다. 지금도 예전에 외웠던 시들을 생각하면 흐뭇한 느낌이 든다. 「미라보 다리」의 '미라보 다리 아래 세느강은 흐르고'라는 구절을 읊조리면 나는 가보지도 않은 파리의 모습을 떠올리게 된다. 결혼도 하지 않았을 때인데 「아들을 위한 기도」를 외우면서 완벽한 인간의 모습을 그려보기도 했다. 교실 환경 정리를 하면서 붓으로 이 시를 써서 붙였던 기억도 있다.

토론에서의 시는 시의 이런 낭만을 논하는 것은 아니지만 '시'라는 것에 대해 더 관심을 가지게 할 수는 있다. 시 속에는 사람들이 살아가는 세상의 모습이 함축적으로 담겨 있다. 따라서 시에 담긴 사회의 모습을 보면서 토론도 하고, 사회에 대한 가치도 논의해볼 수 있다.

더군다나 의외로 논리를 살필 수 있는 시들도 있다. 내가 교사 초임

시절이었을 때, 제주도교육청에서 실시하는 전도 학력평가라는 것이 있었다. 같은 날에 전도 중학교에서 실시되는 시험이라 은근히 시험 문항에 대한 긴장감을 가지고 있었다. 학생들이 시험을 치르는 동안 문항을 검토하던 중에 어떤 문항 하나가 나의 뇌리에 박혔다.

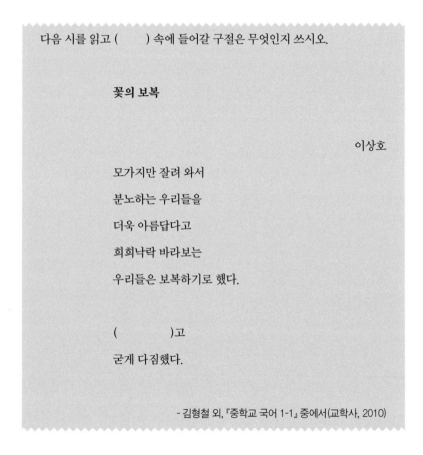

다음 시를 읽고 (   ) 속에 들어갈 구절은 무엇인지 쓰시오.

꽃의 보복

이상호

모가지만 잘려 와서
분노하는 우리들을
더욱 아름답다고
희희낙락 바라보는
우리들은 보복하기로 했다.

(   )고
굳게 다짐했다.

- 김형철 외, 『중학교 국어 1-1』 중에서(교학사, 2010)

처음 이 문제를 보았을 때는 단순하게 '아니, 어떻게 이런 문항이 있지? 아이들이 이 시를 처음 보고 있을 텐데.'라고 생각했다. 예상대로 아이들은 유사 정답을 인정해도 제대로 답을 하지 못했다. 그런데 지금은 '이런 문항을 만든 선생님은 참으로 '생각'을 중요하게 여기는 분이구

나!'라는 생각이 든다.

나는 지금도 아이들에게 어휘력 또는 논리력을 확인해 보자면서 괄호 속에 들어갈 말이 무엇인지 써 보라고 한다.

아이들이 제일 많이 하는 대답은 '예쁘게 피지 않겠다.'라는 것이었다. 그러면 내가 다시 말한다. 이미 예쁘기 피었기 때문에 꺾여간 것이라고.

이런 과정 중에 '빨리 시들어 버리겠다.'라는 대답이 나오면 나는 이제 정답에 가까워졌다고 말하면서 정답을 제시해준다. '절대로 열매 맺지 말자.'라고. 내가 생각하기에 유사 정답을 말하는 아이들이 예전보다 많아진 것 같다.

이러한 아이들을 보면서 나는 또 시를 토론 학습의 좋은 자료로 활용하고 있다. '생각거리'를 찾아서 생각을 확산시키려고 말이다.

시조에 담긴 세상
「하여가」, 「단심가」

내가 교사로 출발했던 당시의 국어 교과서에는 국문학의 흐름에 대해 설명해 놓은 글이 실려 있었다. 고대부터 현대까지 우리 문학의 흐름이 쭉 설명되었는데, 제법 시험 비중도 높아서 그때 우리는 그 단원을 거의 암기했었다. 나도 아이들도. 그리고 암기한 것을 일어서서 말하곤 했다. 나도 내가 예전에 배웠던 방식으로 아이들을 가르친 것이다.

'시조의 발생 시기는 언제인지 정확하지 않으나, 고려 말에 이미 완성된 형식의 시조가 등장한다.' 이런 부분을 통째로 외웠다. 그런데 이

런 암기 대신에 우리가 잘 아는 이방원과 정몽주의 시조를 같이 공부했었으면 더 좋았을 것이다.

지금은 토론을 하기 때문에 이 시조를 다른 시선으로 바라본다. 아이들이 이 시조를 통해 현실과 이상 그리고 우리들의 선택에 대해 같이 생각해 보는 학습을 해야겠다고 말이다.

이방원

이런들 어떠하리 저런들 어떠하리

만수산 드렁칡이 얽혀진들 어떠하리

우리도 이같이 얽혀 천년만년 누리고저

정몽주

이 몸이 죽고 죽어 일백 번 고쳐 죽어

백골이 진토되어 넋이라도 있고 없고

임 향한 일편단심이야 가실 줄이 있으랴

나는 이 두 시조를 무척 좋아해서 수업에 자주 인용한다. 내가 좋아하는 이유는 두 인물이 시조로 자신의 생각을 표현하면서 의사소통을 하고 있다는 점 때문이다. 먼저 이방원은 직설적으로 '새 나라를 열려고 하는데 우리 편이 되어주시오.'라고 말하는 것이 아니라, 만수산 드렁칡에 비유하여 자신의 생각을 전달한다는 점이 낭만적이기까지 하다. 이에 답하는 정몽주도 마찬가지이다. '나는 절대로 당신의 편이 될 수 없다.'라는 것을 임 향한 일편단심으로 나타내고 있다. 이러한 말하기 형식에서 나는 우리 조상들의 품격을 느낀다. 물론 결국 인간이 인간을 죽이고, 죽임을 당하는 것으로 마무리되는 것은 마음이 아프지만 말이다.

아무튼 이 두 시조는 좋은 생각거리를 제공해준다. '우리는 어떻게 시대를 살아가야 하는가?'에 대해 깊이 있는 생각을 하게 해 준다. 우리는 누구처럼 사는 것이 좋은가? 정몽주처럼, 아니면 이방원처럼?

이 두 시조에 대한 토론은 여러 국어과뿐만 아니라 도덕과나 사회과에서 융합 수업의 형태로 학습해도 좋을 것 같다는 생각이 든다. 그러면 토론을 어떤 방향으로 어떻게 전개하는 것이 좋을까? 이 두 시조는 정치적인 상황을 나타내주고 있기 때문에 학생들이 사회정치적인 상황을 두고 어떻게 대처하는 것이 좋을지를 생각하게 해 주기도 한다. 그래서 나는 고려 시대 개성에 살고 있는 사람들에게 정치인이 유세를 하는 상황을 가정해서 수업을 진행하고 싶다. 다만 당시의 시대 상황이라는 것을 전제로 해야 한다.(이 시조 토론은 관련된 단원이 있으면 해야겠다고 뒤늦게 깨달은 것이다.)

미리 고려 말의 상황을 사회과 학습을 통해 알아보도록 한다. 사회과 선생님에게 자료도 얻어서 당시의 시대상을 더 학습하게 되면, 사회의 문제를 어떻게 해결하는 것이 좋은지에 대해 깊이 있게 생각해 볼 수 있다.

우선 우리 학교의 역사 교과서를 보면서 기본적인 당시 상황을 학생들이 살펴보고, 이 상황을 개선하기 위한 정몽주와 이성계의 입장에 대해 듣는 시간을 마련한다. 이 두 인물의 주장을 듣고 나머지 학생들은 투표의 방법으로 자신의 입장을 표현할 것이다.

역사와 사회 상황에 관심이 있는 학생들을 모아 정몽주 팀과 이성계 팀으로 나눈다. 각 팀의 인원은 실제 정치 유세를 하는 것보다는 간단하게 3명 정도로 한다. 그리고 대표는 정몽주와 이성계 역을 맡는다. 팀의 나머지 학생은 대표를 지지하는 연설을 하거나 자료를 제공하면서 자기 팀이 지금의 문제를 해결하는 데 더 유리하다는 것을 알리는 지원

신진사대부의 성장	신흥 무인 세력의 성장	위화도 회군과 고려의 멸망
원 간섭기에 신진사대부가 새로운 정치 세력으로 성장하였다. 이들은 대부분 지방의 향리나 하급 관리의 자제들로, 명분과 도덕을 중시하는 성리학을 받아들였다. 권문세족과 달리 과거를 통해 중앙…	공민왕의 개혁을 추진하던 14세기 중엽 원에서 홍건적의 난이 일어났다. 홍건적의 일부는 고려에 침입하여 한때 개경을 함락하기도 하였으나, 무인들이 반격하여 이들을 물리쳤다. 남쪽 해안 지방은 왜구의 침략으로 많은…	원을 몰아내고 대륙을 차지한 명은 고려를 속국으로 대우하며 무리한 공물을 요구하였다. 심지어 공민왕이 회복한 옛 쌍성총관부 지역을 직할령으로 삼겠다고 알려 왔다. 우왕과 최영은 이에 반발하며 요동 정벌을 추진하였다. 이성계는 요동 정벌에 반대하였지만 최영의 지시로 군대를 이끌고 출정하였…

순서	먼저팀	나중팀	시간(분)	비고(평가점수)
1	대표자 입론		3	40
2		대표자 입론	3	
3	협의시간		1	
4	1지원자 반박		1:30	20
5		1지원자 반박	1:30	
6	협의시간		1	
7	2지원자 반박		1:30	20
8		2지원자 반박	1:30	
9	협의시간		1	
10	대표자 최종정리		1:30	20
11		대표자 최종정리	1:30	
			18분	100점

역할을 한다.

　토론의 순서와 토론 평가의 기준은 다음과 같이 정했다. 모두가 자신의 주장을 내세우는 찬찬 토론의 형식으로 진행하고 발언 순서도 토론의 전개에 영향을 끼칠 수 있으므로 토론이 시작되기 바로 전에 동전을 던져서 정한다.

　주장을 듣는 학생들은 과연 어느 주장이 문제를 해결하는 데에 더 도움이 되는지를 판단하면서 들어야 한다. 그리고 주장의 핵심을 들으면서 자신의 입장을 정리한다. 듣는 학생들의 역할이 아주 중요하다. 사회의 발전을 위하여 어느 주장이 더 타당한지를 판단하고 선택해야만 사회의 문제가 개선될 것이기 때문이다.

나의 선택, 우리의 선택

( )학년 ( )반 ( )번 이름( )

순서	먼저팀( )	평가	나중팀( )	평가
대표자 주장				
1 지원자				
2 지원자				
대표자 주장				
질문하고 싶은 내용				
입장 변화	토론 전 입장( ) → 토론 후 입장( ) (먼저팀 ← 1 - 2 - 3 - 4 - 5 - 6 - 7 - 8 - 9 -10 → 나중팀)			
우리 반의 선택				
토론과정 평가				

현대시에 담긴 세상
「죽도록」

현대시는 시조의 형식에서 벗어나 자유롭게 생각이나 느낌을 표현한다. 물론 현대시조가 있기는 하지만 현대시조도 3장 6구의 정형성에 어느 정도의 융통성을 두어 표현하는 정도이다. 현대시는 다양한 현대인의 삶의 모습을 사실적으로 잘 표현하고 있어서 읽는 독자들에게 많은 생각거리를 제공한다.

이러한 현대시 중에서 우리 학생의 생활 모습을 잘 표현한 시가 있어 눈길을 끈다. 대한민국 모든 학생들의 공동 목표라고 할 수 있는 공부. 우리는 왜 공부해야 하고, 어느 정도의 공부를 해야 하는지 모른다. 다만 학생은 공부하는 사람이라는 것만 맹목적으로 기억한다. 여기 우리의 지상과제인 공부에 대해 노래한 시가 한 편 있다. 이영광 시인의 시집 『아픈 천국』에 수록된 「죽도록」이라는 시를 읽고 학생들의 지상과제인 공부에 대해 생각해 보면 좋을 것 같다. 왜, 어떻게 공부를 하고 있을까? 우리의 바람직한 삶에 대해 생각해 보면 다양한 의견들이 쏟아질 듯하다.

예전에 한창 '시'라는 장르에 관심을 가지고 있을 때, 내가 산 시집 중의 하나가 『내 무거운 책가방』이라는 시집이었다. 지금은 이 시집이 어디로 갔는지 찾지는 못하지만, 공부에 시달리는 아이들의 모습이 강렬하게 표현되어 있었다는 것은 지금도 기억이 난다. 그와 비슷한 시 중의 하나이다.

우리에게 정말로 공부가 필요하다면 죽도록 죽을 때까지 공부해야 하는지, 재미있게 공부하면서 스스로 성장하는 느낌으로 풍성한 인생을 사는 것은 불가능한 것인지를 생각해 본다. 시의 일부이다.

죽도록 공부해도 죽지 않는다라는

학원 광고를 붙이고 달려가는 시내버스

죽도록 굶으면 죽고 죽도록 사랑해도 죽는데,

죽도록 공부하면 정말 죽지 않을까

죽도록 공부해본 인간이나

죽도록 해야 할 공부 같은 건 세상에 없다.

저 광고는 결국,

죽음만을 광고하고 있는 거다.

- 이영광, 「죽도록」 중에서(『아픈 천국』, 창비, 2010)

　더 나은 사회의 모습을 기대하기 위한 활동으로 토론을 전개하고 있다면 지금 자신의 모습과 관련하여 풍자시를 한 편 써보도록 하는 것도 좋다. 삶의 궁극적인 목표가 무엇인지를 생각해 보게 한다면 더 좋을 것 같다.

시를 해부해 봅시다

( )학년 ( )반 ( )번 이름( )

1. 이 시에 나타난 사회 상황과 나를 비교해 봅시다.

시의 사회 상황	나의 상황

2. 왜 공부를 해야 하는지 생각해 보고, 공부해야 하는 이유를 적어봅시다.

3. 지금 내가 공부 이외에 해야 하는 일들에는 무엇이 있는지 적어봅시다.

4. 현재 나의 고민은? 우리들의 고민은?

나의 고민	우리들의 고민

시를 통한 역지사지
「전쟁을 위한 기도」

자료 나누기

토론을 같이 하다 보면 좋은 자료를 공유하게 된다. '내가 수업을 해보니까 좋더라!'라면서 자료를 보내고 받고 하는 것이다. 토론을 하면서 성장할 수 있는 것은 토론을 하는 사람들이 열린 마음을 지니고 있어서 가능한 것이 아닌가 하는 생각이 든다. 자신이 가지고 있는 자료들을 공개하면, 나 역시 도움이 되는 자료를 받을 수 있으니까.

그렇게 해서 나에게 좋은 책이 전달되었다. 같은 토론교과연구회에서 토론을 공부하는 선생님이 나에게 이 시를 추천해준 것이다. 당연히 이 시를 가지고 토론반 학생들이 활동을 했다. 이 시는 찬반토론보다는 시 속에 담긴 의미를 더 깊이 생각해보는 것이 생각의 폭을 키우는 데 중요하리라는 생각이 들었다. 토의 토론은 생각을 깊이 하라는 것이니까.

이 시를 받고 처음 읽었을 때의 느낌이 아직도 생생하다. 지금까지 내가 바라던 기도의 모습과는 너무 다른 모습을 돌아보게 해서 다소 충격적이라고나 할까? 많은 생각을 하면서 학생들과 함께 활동했던 시이다.

보통 기도하는 인간을 떠올리면 너무나 선한 느낌으로 다가온다. 우리는 대개 나와 내 가족을 위해 기도한다. 인류 전체의 평화를 위해 기도하는 일은 보통 사람들에게는 흔하지 않다. 나 역시 기도를 할 때의 내용은 가족의 안위를 위한 것이 대부분이다. 남북통일을 위해서, 전쟁의 종식을 위해서, 기아나 난민을 위해서 기도하는 일은 거의 없다. (만약 남북통일을 위해서 기도한다면, 내 아들이 군대를 가지 않아도 되니까, 우리 나라의

이런 나의 기도는, 우리들의 기도는 얼마나 이기적인 것인가. 이 시를 읽으면 전쟁에서 승리를 염원하는 일이 상대방에게는 얼마나 충격적인 일이 되는지 생생하게 전달된다.

이 시는 전쟁 또는 전쟁에서의 승리를 막연하게 관념적으로 생각하는 사람들에게 충격을 던진다. 『허클베리핀의 모험』과 『왕자와 거지』를 너무 재미있게 읽었던 나에게 마크 트웨인은 소설가로만 기억되는 작가였다. 그런데 이 시를 읽고 그가 얼마나 전쟁을 증오했던 반전 운동가였는지, 이 시 한 편만 보고도 알 수 있었다.

시에는 전쟁의 아픔이 너무나 적나라하게 묘사된다. 전쟁에 참가하려고 모인 청년들을 위해 교회에서 목사가 기도를 한다. 이들이 전쟁에 나가 용감히 싸우고 승리하게 해 달라고. 그 현장에 남루한 노인이 하느님의 목소리를 전하러 왔다며 이야기를 한다. 노인이 전하는 기도의 내용을 들으면 전쟁이 얼마나 참혹한 것인지를 알 것 같다. (그 노인은 목사의 기도를 뒤집으면 이런 내용이라고 말해준다.)

"오, 주여, 우리 아버지시여! 우리의 젊은 애국자들이 우리의 사랑하는 용사들이 전장으로 나가나이다. 이들과 함께하소서! 우리의 영혼도 이들과 함께 나아갑니다. 따스한 난롯가의 단란한 평화를 뒤로하고, 적을 무찌르기 위해. 오, 우리 주 하나님이시여! 우리를 도우시어 우리의 포탄으로 저들의 병사들을 갈기갈기 찢어 피 흘리게 하소서. 우리를 도우시어 저들의 청명한 벌판을, 저들 애국자들의 창백한 주검으로 뒤덮게 하소서. 우리를 도우시어, 천둥 같은 총성을 저들의 부상병들이 고통으로 몸부림치며, 내지르는 비명 속에 잠기게 하소서. 우리를 도우시어 폭풍처럼 휘몰아치는 포화로, 저들의 누추한 집들을 잿더미로 화하게 하소서. 우리를 도우시어,

> 저들의 죄 없는 과부들이 비통에 빠져 가슴 쥐어뜯게 하소서. 우리를 도우
> 시어, 저들이 집을 잃고, 어린 자식들과 함께 흙바람 이는 황폐한 땅을 의
> 지가지없이 떠돌게 하소서."
>
> — 마크 트웨인, 『전쟁을 위한 기도』 중에서(돌베개, 2003)

생각 키우기

이 시는 한 편의 극을 보는 느낌을 준다. 행진하는 군인들의 모습과 교회에서 축복해주는 여러 사람들의 모습이 펼쳐진다. 수많은 젊은이들이 전쟁에서의 승리를 그리면서, 신의 축복을 염원하면서 교회에 모여 있다. 목사의 축복 기도가 끝나갈 무렵, 누더기 옷을 입은 한 노인이 나타난다. 머릿속에 그림이 그려진다.

동아리반 학생들에게 이 시를 보여주었을 때, 학생들의 반응도 나와 다르지 않았다.

> "선생님, 저는 이번 시험에서 일등을 하게 해 달라고 빌었는데, 그럼 저는 다른 아
> 이가 일등을 하지 못하게 해 달라고 빈 것이네요."

학생들은 참 순수하고 감수성이 뛰어나다. 기도의 의미를 일상의 소소한 기도에도 적용해 해석하다니. 나는 학생들의 이런 순수한 느낌들을 빨리 포착해서 기록하고 발표하는 것을 좋아한다. 그래야 꾸밈이 없는 진실한 마음으로의 소통이 더 많아지기 때문이다.

이러저러한 책의 느낌은 글로 표현하는 활동을 하는 것이 생각을 넓히기에 아주 유용하다. '아, 좋다.'라는 느낌은 시간이 지나면서 저절로

옅어지기 때문이다. 마음속으로만 느끼는 것은 한계가 있다는 것을 경험으로 알기 때문에 나는 학생들에게 느낌을 기록하게 하고 발표를 하면서 생각을 교환하고 공유하는 경험을 가지게 한다. 이런 과정을 거치면 비로소 우리의 생각이 자라나는 느낌을 받게 된다.

먼저 활동 내용을 구상하고 학습지를 만들었다. 그때 내가 맡은 토론동아리 이름은 '옳소'였다. 학생들과 같이 동아리 이름을 지어보자고 해서 만든 이름이다. 이때가 학생들의 동아리 참여가 가장 많았던 해이기도 하다. 모두 토론이라는 것에 대한 호기심을 가지고 적극적으로 참여해서 오히려 교사인 내가 자극을 받기도 했다.

옳소!(옳은 소리) 토론 동아리활동	주제: 책을 읽고 토론 -역지사지(易地思之)하기-	○○○○○○중 1학년 ( )반 이름( )

벌써 5회째가 되고 토론도 2번이나 했습니다. 토론을 사랑하는 여러분의 마음이 느껴져서 우리 교실은 화기애애합니다. 오늘은 조금 차분하게 책을 읽고 생각하는 시간을 가져 봅시다. 마크 트웨인의 「전쟁을 위한 기도」를 읽으면 무엇인가 가슴을 울리는 것이 있을 것입니다. 그리고 어떻게 기도하고, 어떻게 행동하며 살아야 할지도 조금은 진지하게 생각하게 하지요.

「전쟁을 위한 기도」를 읽고 느낀 점을 적어봅시다.

나를 위한 기도를 적어봅시다.	나의 기도 이면의 마음은 어떤 것인가요?

학생들도 약간의 충격을 받은 듯한 얼굴로 감상을 적어나갔다. 다 쓰고 난 후 조용히 다른 학생들의 감상을 경청한다. 이렇게 발표하고 경청하는 과정을 통해 학생들은 자신의 생각이 더 깊어지는 경험을 한다. 다음은 내 생각을 깊어지게 한 어느 학생의 글이다.

역지사지의 본질을 조금이나마 알게 된 것 같습니다. 내가 빌고 빌어 간청한 소원이 누군가에겐 독이 서린 저주일 수도 있다는 이 간단한 사실을, 저는 말을 했던 10년 동안 깨닫지 못하였습니다. 누군가가 승리한다면 또 다른 누군가는 패배한다는, 어찌 보면 지극히 당연한 자연의 섭리인 듯한데 왜 여태까지 깨닫지 못하였는지 스스로에게 의문도 들었습니다. 아마 여태까지 저는 말을 생각하며 내뱉지 않은 듯 싶습니다.

'생각'이라는 여과기를 거치지 않고, 어른들의 칭찬만 듣고서는 스스로가 잘난 줄 알아 그냥 정말 말 그대로 '단어'만 내뱉은 것 같습니다. 지금까지의 제 말은, 말의 참뜻이 완벽하게 전달되지 않은 간헐적인 '단어'들의 교집합이었습니다.

글의 심심한 분위기에 그저 단순한 시이겠거니 방심하고 읽다가 찔린 게 많습니다. 생각을 여러 번 하고 글을 쓰는 이 순간까지 제가 진짜 '말'을 하는 건지는 모르겠습니다만, 스스로가 철없고 이기적인 어린아이라는 사실 하나는 자각하였기에 마음만은 편안합니다.

글 속에서 목사의 어휘는 고급스러웠으나, 정작 담긴 뜻은 허무맹랑하였고 겉모습은 웅장하였으나 그의 말은 생각 없이 텅텅 빈 채였습니다. 또한 교회 안에 있던 모든 이들이 전쟁의 승리를 빈다는 명목 하에 연설을 듣고는 있었으나, 결국 그들 역시 다른 사람들의 참혹한 죽음을 바라고 있었

습니다. 이유는 모르나 하나같이 자극적인 묘사들의 연속이었습니다. 지금 우리의 모습과 닮아 보여서인지, 아니면 그들을 멍청하게 비웃는 자신 역시도 그들과 다를 바 없다는 사실 때문인지. 지금까지 자랑스럽게 여겨왔던 제 이기주의적 가치관이 끔찍하게 여겨진 순간이었습니다. 인간이라면 당연한 것인데도 불구하고, 갑작스럽게 와 닿게 된 우리의 머릿속에 있는 어리석음과 잔인함에 많이 놀랐습니다.

그리고 끝까지 자신들의 잔인함을 자각하지 못했던 교회 안의 그들을 비웃는 내 멍청함에, 역시 놀랐습니다. 우리는 물론이고 작가 스스로의 어리석음까지 지적해가면서 우리의 순수한 모순을 직설적이고 강하게 비판하는 이 시는 아마 오랫동안 제 머릿속에 남을 것 같습니다.

시를 통한 세상 보기
「자본주의 1」

시 자료 찾기

일단 시로 토론을 할 수 있고, 오히려 더 생각이 풍부하게 일어날 수도 있다는 것을 경험한 다음부터는 여기저기 시집을 뒤지면서 읽어보았다. 표현이 아름다운 시가 아니라 토론거리가, 생각거리가 담긴 시를 찾아야 하기 때문이다.

내가 외우면서 즐겨 읽었던 시들은 다소 낭만적인 느낌의 시들이라 토론거리에는 적합하지 않았다. 그래서 시를 찾던 중에 교과서에 실린 시들에 눈이 갔다. 그래서 『국어교과서 작품 읽기-시』를 참고해 1, 2, 3학년 교과서에 있는 것들을 모두 살펴보았다. 그 속에는 토론으로 적합

한 시들이 꽤 있어서 동아리 수업 시간에 활용했다.

나는 아예 『국어교과서 작품 읽기-시』에서 토론 수업을 진행하기에 좋을 만한 시들을 골라 따로 컴퓨터 파일에 저장해 두었다. 시험이 끝났을 때 또는 학기말에 여유 시간이 있을 때, 토론 학습지를 제작해서 토론 학습을 하기 위해서이다. 미리 읽을거리, 생각거리를 준비해 두면 토론 수업에 대한 부담이 거의 없다.

시는 생각이나 느낌이 압축되어 있는 글이라 학생들이 스스로 생각할 수 있는 시간을 충분히 주는 것이 좋다. 생각하는 것은 곧 질문을 하는 것이기 때문에 토론 학습의 시작을 질문을 만드는 것으로 열었다. 일단 질문을 다 만들고 나면, 그다음부터는 그 질문들을 듣고 좋은 질문을 선정하는 작업을 한다. 그 시간의 학습이 유용한가를 판단할 수 있는 것이 바로 질문의 수준이기 때문이다. 만약 정식 토론이라면 토론할 가치가 있느냐 없느냐의 차이가 논제에서 나타나는 것과 같다.

수업 시간은 좋은 질문들을 통해 우리의 생각이 건강하게 자라나게 해야 한다. 그리고 무엇이 더 근본적이고 가치 있는 것인가를 스스로 가려낼 수 있는 능력을 길러주기도 한다.

자본주의 1

윤재철

(전략)

즐거움이 없어지면 쓰레기가 되고

기능이 다하면 쓰레기가 되고

헌 것은 무엇이든 쓰레기가 되는

사람이건 집이건 옷이건

자동차건 컴퓨터건 텔레비전이건

모두 쓰레기가 되는

쓰레기가 많아야 장사가 되고

쓰레기를 자꾸 만들어야 돌아가는

하이테크 쓰레기의 논리

자본주의의 허구를

사람들은 힐끗힐끗 쳐다보며 지나간다

혹시 나도 쓰레기는 아닐까

언젠가는 나도 쓰레기는 아닐까

- 윤재철, 「자본주의1」 중에서 (『국어교과서 작품 읽기 중1 시』, 창비, 2011)

질문 만들기

혼자 질문을 10개 만드는 시간은 비교적 조용하다. 각자 고민하면서 질문을 만들어야 하는데 10개를 만드는 것은 훈련이 되지 않은 학생들에게는 고생스러운 작업이 될 수도 있다. 그래도 질문을 만드는 활동은 포기하면 안 된다. 질문을 만드는 것 자체가 바로 해답으로 가는 지름길이니까 말이다.

질문을 10개 만들고 자신이 만든 질문 중에서 좋은 질문 3개를 골라 칠판에 적는다. 다 적으면 각자가 좋은 질문이라고 생각하는 이유를 발표한다. 질문을 적은 학생들의 이유를 다 듣고 나면 이제 판단의 시간이 남는다. 칠판에 적힌 전체 질문들 중에서 다시 가장 좋다고 생각되는 질문 3개를 고를 것이다. 물론 좋은 질문의 수는 시간에 맞게 임의대로 바꿀 수 있다. 이때에도 자신이 그 질문을 고른 이유를 발표한다.

이런 과정을 거쳐 그 시간에 공통으로 해결해야 할 질문을 3개 마련하고 나면 본격적인 질문과 답변의 시간이 이어진다. 주로 모둠별 4명이 돌아가면서 시계 방향으로 질문을 던지고 답변을 한다.

마지막에는 그 모둠의 한 명이 자신들의 모둠 의견을 모아서 발표를 하는데, 이때는 조금 독창적인 답변을 중심으로 발표한다. 만약 수업 시간을 조절해야 한다면 각 모둠별로 질문 하나에 대한 답변만 정리하여 발표를 해도 된다. 그래서 질문식 토론은 시간 활용면에서는 가장 자유롭게 운영된다.

---

1. 각자 위의 시와 관련된 질문을 만들어 봅시다.

① _____

② _____

③ _____

④ _____

⑤ _____

⑥ _____

⑦ _____

⑧ _____

⑨ _____

⑩ _____

2. 자신이 만든 질문 중 가장 좋은 질문을 골라 칠판에 적어주세요.

① _____

② _____

③ _____

3. 선정된 좋은 질문 3개를 학습지에 적어주세요.

① _____

② _____

③ _____

4. 위의 질문들에 대한 답변을 적어봅시다.

① (○○○) _____

　 (○○○) _____

　 (○○○) _____

　 (○○○) _____

② (○○○) _____

　 (○○○) _____

확장하기

　질문을 하고 대답을 듣는 활동이 끝나면 모둠에서 한 명이 답변의 내용들을 종합해서 발표를 한다. 그러면 나머지 학생들도 답변의 내용들을 공유하게 되는 것이다. 나와 다른 다양한 의견들이 있다는 것을 인정하고, 더 합리적인 생각이 무엇인지를 판단할 수 있게 되는 것이다. 생각이 자라나는 것이라고 할 수 있다.

　이 질문식 토론 학습지는 한번 만들어놓으면 시 작품만 바꾸어가면서 수시로 응용하여 쓸 수 있다는 장점이 있다. 수업 시간에 단지 시의 주제와 표현 방법 등을 익히는 것에서 벗어나 내용을 깊이 있게 감상하

면서 주변과 사회를 돌아보고, 질문과 답변을 통해 해결책을 모색해볼 수 있다.

그리고 좋은 질문 선정에서는 좋다고 생각하는 이유를 발표하고, 또 들으면서 판단하는 능력까지 길러줄 수 있다. 한때 유행했던 「방문객」이라는 시도 좋은 질문을 만들어 활동하기에 좋고, 「똥지게」, 「가지 않는 길」, 「꽃의 보복」, 「수선화에게」, 「나」, 「여인숙」 등도 이런 수업을 전개하면서 자신을 돌아보는 활동을 하기에 적합했었다.

「수선화에게」라는 시는 학생들이 가장 많이 공감하면서 감상한 시인데, 한 학기 한 권 읽기 시간에 함께했다. 내가 이 시를 처음 읽었을 때, 인간이 지니는 외로움에 대해 생각해 보게 되었고, 특히 그런 감정을 많이 느낄 것 같은, 사춘기를 겪는 학생들이 생각났다. 그래서 학생들과 같이 감상하고 토론하는 시간을 마련해보리라 생각했던 시다. 나는 한 학기 학습 분량을 미리 만들어서 학생들에게 자료를 나눠준 다음에 독서 활동을 한다. B4 용지로 소책자 인쇄를 하면 한 학기분의 소책자도 쉽게 만들어서 나눠줄 수 있다.

나는 우리가 교실에서 학습하는 것이 교사를 통해서가 아니라 학생들 사이에서 더 많이 일어날 수 있다고 생각한다. 교사는 학생들이 그런 활동을 많이 하도록 유도하는 역할을 하면 된다고 생각한다. 그래서 학생들의 작품을 이름을 가린 채 보여주기도 한다. 그때 보여주었던 어느 학생의 활동지이다.

1. 다음 시를 감상해봅시다.

수선화에게

정호승

울지 마라
외로우니까 사람이다.
살아간다는 것은 외로움을 견디는 일이다
공연히 오지 않는 전화를 기다리지 마라
눈이 오면 눈길을 걸어가고
비가 오면 빗길을 걸어가라
갈대숲에서 가슴검은도요새도 너를 보고 있다
가끔은 하느님도 외로워서 눈물을 흘리신다
새들이 나뭇가지에 앉아 있는 것도 외로움 때문이고
네가 물가에 앉아 있는 것도 외로움 때문이다
산 그림자도 외로워서 하루에 한 번씩 마을로 내려온다
종소리도 외로워서 울려퍼진다.

2. 이 시에서 가장 마음에 와 닿는 표현은 무엇인지. 또는 가장 인상적인 구절은 무엇인지 쓰고, 이 시의 전체적인 감상을 적어봅시다.

'산 그림자도 외로워서 하루에 한 번 씩 마을로 내려온다' 이 부분이 굉장히 독특하고 인상적이다. 난 이제까지 해가질 때 드리워지는 산 그림자를 한 번도 이런 시선으로 바라볼 생각조차 못했는데 이렇게 생각할수도 있다는게 신선하다. 다른 구절에서도 쓰인 표현이 '외로움'이라는 감정이 생생하게 와닿는 것 같다. 이젠 내가 외로우면 산을 바라볼 것이고 산 그림자가 내려올때면 외로워서 왔구나하고 이 시를 떠올릴 것 같다.

수선화 그림은 내가 사투리 숙제를 냈을 때, 유일하게 알아낸 학생이 그린 것이다. '고슬 트난 저러 어쩌'라는 제주어가 무슨 뜻인지 집에 가서 부모님이나 다른 어른들께 여쭈어 보고 알아 오라는 숙제를 낸 적이 있다.

3. 우리들의 생각을 나눠 봅시다. 이 시를 읽고 질문을 만들어 봅시다.(내 질문/전체질문)(원격 학습 시는 내 질문 5개만 만들기)

① 왜 제목을 '수선화에게'라고 지었을까?
② 왜 눈이 오면 눈길, 비가 오면 빗길을 걸어가라라고 했을까?
③ 왜 굳이 가슴도요새일까? (이가 가지고 있는 뜻은 무엇일까?)
④ 외로움 이라는 것을 느끼지 않는 것이 있을까?
⑤ 이 시를 쓴 그는 외로워서 이 시를 썼을까?

① 시 제목과 외로움은 무슨 관련 있나?
② 외로움이 주는 장점은 무엇일까?
③ '눈이 오면 눈길, 비가 오면 빗길을 가라'의 의미는?

4. 모둠의 질문에 대한 답을 찾아봅시다. 우리들의 대화 속에 답이 있습니다. (원격 학습 시는 내가 생각하는 답변 쓰기)

(①나) 수선화라는 꽃 자체가 자기만족에 취해 외로움을 느낀다고
(①) 생각해, 즉 의인화에서 쓴 것 같다.
(②나) 외로움을 견디기 위해 다른 일을 함으로써 자아성찰을 하고,
(②) 창작활동을 하며 실력향상이 돼 더 나은 내가 될 수 있다.
(③나) 어떤 힘든 일이 닥쳐도 꿋꿋이 이겨내라
(③)

5. 이 시와 관련하여 인간이라는 존재에 대한 생각을 정리해 봅시다.(인간에 대한 정의를 내려 봅시다)

인간이란 어떨때는 마냥 행복하고, 어떨때는 사무치게 외로우며 어떨때는
화나고, 즐겁고, 슬프고, 또 아프고, 이렇듯 인간은 예민한 감정의 모음집같은
존재이다. 누구나 이런 감정을 한번씩은 다 겪어봤을 것이고 이 시의 주제인
'외로움'도 누구나 안 겪이는 사람이 없을 것이다. 그래서 사람은 서로
그 감정의 빈자리를 채워주며 그렇게 더불어 살아가는 존재인 것 같다.

이 시는 참 할 얘기가 많다.

'왜 하필 제목이「수선화에게」일까?'라고 질문을 하면 학생들은 다양하게 대답한다. '수선화가 어떤 꽃이에요?'부터 문답이 오가다가 그리스 신화의 '나르시스' 이야기를 하는 학생이 등장하면 나는 '대단한데!'라며 그 학생의 독서 습관에 칭찬을 쏟아 준다.

아이들의 감상 이야기도 다양하게 풍성하게 나온다. 그리고 자신만 외롭다고 생각했는데, 이 시를 읽으니 인간은 모두가 외로운 존재라는 것을 알아서 조금 마음이 놓인다는 아이도 있었다. 그리고 위의 학생처럼 그렇기 때문에 인간은 서로의 외로움을 다독이며 더불어 살아가야 한다는 학생도 있었다.

이런 학생들을 만나서 생각을 나누는 행복한 시간이 바로 독서 시간이다.

질문하고 토론하고
「만남이 이루어졌다 할지라도」

질문의 필요성

아직도 내 기억 속에 강하게 남아 있는 영상 중의 하나는 EBS 다큐 프라임 '왜 우리는 대학에 가는가?'이다. 2014년에 총 6부작으로 방영되었는데 지금도 생생하게 기억하는 그 프로그램의 주된 이야깃거리가 '질문'이었기 때문이다.

그중에 특히 5부 '말문을 터라'라는 대목에서는 부끄럽기까지 했다. 질문의 기회가 주최 측인 우리에게 특별히 주어졌는데도, 여러 번 '질문이 없나요?'라고 물었는데도 아무도 질문을 하지 않았다는 것은 우리가 정말로 그 자리의 주인으로서의 자격이 있는지조차 의문이 들었다. 아마 그 영상을 본 사람들은 모두 우리나라의 교육이나 혹은 자기 자신에 대한 의문이 들었을 것이다.

다큐는 2010년 서울에서 G20 정상회담이 열렸을 때, 오바마 미국 대통령이 기자회견을 하는 장면부터 시작된다. 개최국 역할을 훌륭히

해낸 한국에 감사하다며 한국 기자단에게 먼저 질문권을 주는 호의를 베푼다. 세계의 최강임을 자처하는 미국의 대통령에게 질문할 기회가 한국 기자들에게 주어진 것이다. 그러나 순간 긴 침묵이 흐른다. 영어에 대한 두려움일 수도 있다는 생각에서일까, 오바마는 통역을 해야 할지도 모른다고 배려의 말을 해 준다. 그런데도 결국 질문하는 한국 기자는 없었다. 대신 중국의 기자가 자신이 질문을 해도 되느냐고 묻는다.

세계의 눈이 쏠린 그 기자회견장에서 우리나라를 대표한다고 볼 수 있는 기자들이 질문 하나 던지지 못하는 모습이 너무나 안타깝고 씁쓸했다. 마치 우리들의 모습이 비치는 듯했으니까. 그들은 왜 질문을 하지 않았을까? 질문을 못할 상황은 아니었다. 당연히 질문을 해야만 하는 상황이었다. 그리고 기자라면 당연히 주최 측이나 강연자에게 어떤 질문인가를 던져야 한다. 그래야 제대로 취재를 할 것이 아닌가?

우리가 생각하는 기자들은 TV 뉴스에서, 취재를 위해 기다리고 있다가 주인공이 등장하면 하나라도 질문을 더 하기 위해 몰려드는 모습이다. 그런데 왜 질문을 하라고 했는데도 못 했단 말인가?

교실에서 아이들에게 이 영상을 보여주면서 만약 너희들이라면 질문을 할 수 있겠느냐고, 그리고 질문을 한다면 어떤 질문을 할 것이냐고 물었다. 아이들은 다양하게 자신들이 궁금한 것을 말한다.

"중학교 때 무슨 꿈이 있었나요?"

"취미는 무엇인가요?"

마치 담임 선생님에게 질문을 하듯이 말한다. 그래서 만약 선생님이라면 다음과 같은 질문을 할 것 같다면서 질문을 던져 주었다. 크게

심호흡을 하고 용기를 내어 물을 것이다.

"우리나라의 통일을 위해 미국은 어떤 도움을 줄 수 있나요?"
"통일을 앞당기기 위해 한국인은 어떤 노력을 해야 한다고 생각하십니까?'"

만약 그 자리에 있던 한국의 기자들이 위와 같은 질문을 던졌다면 오바마는 어떤 답변을 했을지 지금도 궁금하다.

다큐의 그다음 짤막한 이야기도 쓸쓸한 웃음을 자아내게 했다. 어떤 교수가 대학 강단에 설 때 너무 떨린다면서, 선배 교수에게 조언을 해 달라고 했다. 그때 선배가 해 준 말은 무엇일까? '괜찮아, 충분히 잘할 수 있을 거야.'라는 조언이라면 얼마나 좋았을까! 그 선배의 조언은 '절대 두려워하지 마라. 학생들은 결코 질문하지 않아.'라는 것이었다. 질문을 하지 않으니 일방적으로 자기가 할 말만 하면 된다는 것이다.

그렇다면 왜 질문해야 할까? 이것에 대한 대답은 배움의 본질을 생각해 보면 쉽게 알 수 있다. 배운다는 것은 결국 자신이 궁금해하는 것에 대한 답을 찾는 것이며, 또한 답을 찾아가는 과정이다. 질문이 없다면, 우리는 그 질문의 답을 찾으려는 노력을 하지 않을 것이고, 또 찾을 수가 없을 것이고, 결코 아무런 배움도 일어나지 않을 것이다.

배움의 과정은 다음의 문장 부호라고 생각한다. 우리는 기본적으로 앎에 대한 욕구가 있다. '이것은 무엇인가?'라고 생각하는 것, 의구심을 갖는 것, 궁금증을 갖는 것이 배움의 시작이다. 이것이 있어야만, '아, 그렇구나!'라는 답을 얻을 수가 있는 것이다. 따라서 ?의 양이 학습의 양이나 질을 결정하는 것이다.

내가 토론에서 질문하기를 중요하게 생각하는 이유도 여기에 있다. 아이들이 궁금증을 갖도록 하는 것, 호기심이 많은 아이로 자라게 하는

것이 자기 스스로 공부하는 아이들을 만드는 비결이 된다고 할까?

갈라파고스에서 자연을 관찰하던 다윈이 '왜 이곳의 핀치새들은 각 각 부리의 모양이 다를까?'라는 질문을 하지 않았다면 다윈의 진화론은 생겨나지 못했을 것이다. 그는 끊임없는 질문을 통해서 한 종의 새지만 섬의 특성에 따라 마치 서로 다른 종처럼 진화해 왔다는 답을 찾아낸 것이다.(곤충을 잡아먹는 핀치새의 부리는 짧고 뭉툭하고, 바위 속 벌레를 잡아먹는 핀치새 부리는 길고 가늘며, 이구아나의 피를 빨아먹는 핀치새 부리는 뾰족하다고 한다.)

우리는 학생을 가르치는 교사이고 학생은 '배우는 사람'이다. 나는 가르치는 동시에 배우는 사람이다. 배우기 위해서는 모르는 것에 대한, 배우는 것에 대한 궁금증을 가지고 그 답을 찾기 위해 노력해야 한다. 즉 모르는 것을 찾아서 질문을 해야 한다는 것이다. 질문하지 않으면 우리는 많은 시간 책상에 앉아 있지만, 생각도 가만히 앉아 있는 상태, 즉 배움이 없는 상태가 지속될 뿐이다.

5부 '말문을 터라'에 이어서 6부 '생각을 터라'에 이르면 이 프로그램의 목적이 무엇인지 더 명확해진다. 말문을 트는 것과 생각을 트는 것이 별개가 아니라는 것을 말해 주는 것이다. 나와 아이들의 생각은 지금 어떤 상태일까? 혹시 가만히 앉아서 쉬고 있지는 않을까?

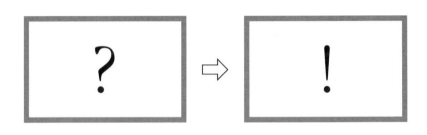

학생들과 단체로 〈하트비트〉라는 뮤지컬을 관람한 적이 있었다. 학교폭력과 자살 문제를 다루고 있었는데 내용의 흐름이 우리 학생들도 쉽게 공감할 수 있어서 반응이 좋았다. '아는 만큼 보인다.'라고 했다. 나는 국어교사라 그런지 무대장치나 음악, 춤보다는 대사에 더 관심을 두고 보게 되었다. 학생들 사이에 쉽게 일어날 수 있는 오해의 문제, 방관자의 문제, 피해자와 가해자의 처지 등을 한꺼번에 바라볼 수 있어서 좋은 공연이었다. 마지막 부분에 이러한 대사들이 나온다.

> **강태풍:** 너는 왜 왕따 당하면서 그런 얘기를 아무한테도 하지 않았어?
>
>   왜 네가 미리의 스틱을 부수지 않았다는 말을 하지 않았어?
>
> **천 둥:** 아니 뭐, 그냥. 그런데 태풍아, 너는 무슨 생각으로 친구들을 괴롭
>
>   히니? 무슨 이유라도 있니?
>
> **강태풍:** 아니, 그냥.

괴롭힘을 당하는 천둥이나 친구를 괴롭히는 강태풍 모두 다 '그냥'이라는 말로 자신의 행동을 표현하고 있다. 천둥이는 그렇게 자기를 괴롭히는 아이들과 태풍에 대해 왜 생각해 보지 않았을까? 왜 자신이 처한 상황이나 해야 할 일에 대해 생각하고 질문해보지 않았을까? 태풍이도 역시 마찬가지이다. 왜 그랬을까?

나는 이 뮤지컬의 대사가 우리 교육의 한 모습을 보여준다는 생각이 들었다. 나도 가끔 나를 돌아보면서 나의 수업과 나의 생활은 어떠한지 묻곤 한다. 하루에 몇 번의 질문을 하고 있는지, 그리고 그 질문의 내용이 단순히 교과서의 내용은 아닌지를 생각해 본다.

또한 뒤집어 생각해 보기도 한다. 나의 학생들은 나에게 하루에 몇 번의 질문을 하는가? 그리고 학생들이 질문하는 내용이 그냥 교과서 속에 담긴 것은 아닌가? 반성해 보면서 질문과 답변이 넘치는 교실을 꿈꾼다.

그런데 놀라운 점은 나의 학생들도 시도 때도 없이 질문하던 서너 살의 추억을 가지고 있을 거라는 점이다. 끊임없이 엄마나 아빠에게 '이것은 뭐예요?, 이것은 왜 이래요?' 등의 질문을 던지면서 그들을 답변하느라 지치게 만들었을 것이다. 서너 살 때에는 세상에 대해 궁금한 것이 너무 많아서 답을 알고 싶은 마음에 질문을 했던 것이다. 그런 질문의 결과 아이들은 그 나이에 수많은 생각(지식)들을 빠르게 습득할 수 있었다. 그런데 키가 자라고 정신이 자랄수록 왜 질문을 하지 않게 되었을까?

이 질문은 단지 교실에서 학습에 대한 것만을 뜻하지는 않는다. 친구에게도 어른에게도 질문을 하지 않는다. 궁금한 것이 있어도 다른 사람의 눈치를 보면서 질문을 하지 않고, 나중에 해야지 하고 마음먹는다. 그러나 누구나 알다시피 시간이 지나면 그 궁금하던 것조차 사라져 버린다. 그렇게 되면 우리는 스스로 공부하지는 못하고 남이 먹여 준 지식만 머릿속에 집어넣는 행동을 반복하게 되는 것이다.

질문은 자기도 모르는 사이에 학습하게 만들어 주는 것 같다.

나의 어머니는 내게 이야기를 들려줄 때 신이 났을 것 같다는 생각이 든다. 왜냐하면 나는 이야기를 듣는 중간마다 꼭 '그것이 무슨 뜻인지?', '왜 그렇게 했는지?'를 꼭 질문하곤 했다. 그러면 어머니는 재미있게 듣는 나를 보고, 더 신나게 이야기를 들려주었을 것이다.

그 이야기들이 내게는 큰 공부였던 셈이고, 연결지어 생각하는 토론을 좋아하게 만들었을 것이다. 유채밭에서 유채를 수확할 때였다. 나는

유채 줄기 끝에 매달려 있는 애벌레가 너무 징그러웠다. 온통 초록색으로 검지 손가락 정도의 크기에 유독 머리 부분에 검지 손가락 한 마디 정도의 뿔이 달려 있었다. 나는 너무 징그러워서 그 벌레를 막대기로 치려고 했다. 그때 어머니의 이야기가 시작되었다.

"얘야. 그 벌레 또리지 말라. 그것도 원래는 사롬이여."(얘야, 그 벌레 때리지 말아라. 그것도 원래는 사람이었어.)

"무슨 사롬마씨?"(무슨 사람요?)

어머니의 말에 의하면 원래는 부잣집 딸이었는데, 옛날 부잣집은 일할 딸도 많고, 농사지을 땅도 많았다고 한다. 농사철에 놉(일꾼)을 사서 일을 하는데, 점심밥을 구별했다고 한다. 그 딸들이 자기네 먹을 밥과 반찬은 맛있는 것으로 하고, 놉이 먹을 밥과 반찬은 잘 차리지 않았던 것이다. 그래서 놉들이 '무슨 먹는 것을 가지고 사람 차별을 하냐?'라고 불평의 말을 했고, 그 말을 하늘이 듣고는 노했다는 것이다.

"너희들도 빌어먹는 아픔을 겪어보아라."

하면서 숟가락을 탁 던졌는데, 그 숟가락이 이마에 박히는 순간, 그 딸들은 벌레로 변했다는 것이다. 뿔처럼 생긴 것이 숟가락이라고.

학교에서 신화, 전설, 민담을 구분하면서 공부할 때, 나는 어머니가 들려준 이야기는 증거가 있으니 전설에 해당한다는 것을 금방 알아차릴 수 있었다. 나의 배경지식 한 켠에 나의 어머니가 존재했던 셈이다.

어린 내가 이 이야기를 들으면서 얼마나 재미있고 신기해했었는지, 지금도 그 장면이 생각나서 어머니에게 늘 고마운 마음이다. 이만하면

나의 어머니는 훌륭한 교사였고, 나는 질문을 하는 좋은 제자라고 말해도 될 것 같다.

질문의 힘

질문하는 능력은 우리에게 무엇을 줄까? 나는 질문은 인간에게 무한 에너지를 제공해주는 원동력이라고 생각한다. 질문하는 능력을 가지고 있어야 지치지 않고 끝까지 배움의 자세를 유지할 수 있다. 질문을 한다는 것은 더 알고 싶은 궁금한 점이 있다는 것이다. 질문을, 그 궁금함을 풀어나가노라면 자신이 성장하는 느낌이 들 것이고, 이런 능력이 있어야 배움에 재미가 붙는다.

우리는 질문한다. 고로 배운다.

질문의 힘을 가장 잘 보여주는 민족은 유대인이다. 우리나라와 유대인을 비교해 보면 왜 이런 차이가 나는지를 묻지 않을 수 없다.

먼저 우리가 중요하게 생각하는 IQ는 한국인 평균이 104인데, 유대인은 94이다. 주당 공부 시간은 우리 나라가 49시간, 유대인은 33시간이다. 인구는 우리 나라가 남한만 5천만 명이고, 유대인은 1천5백만 명이다. 여기까지만 비교하면 우리 나라 사람이 IQ도 높고, 공부 시간도 길고, 인구도 많다. 그런데 노벨상 수상자를 보면 우리 나라는 1명(2000년 김대중 대통령 노벨평화상 수상)인데, 유대인은 200명이다. 하버드 재학생은 우리 나라가 1%인데, 유대인은 30%라고 한다.

이 비교 결과는 무엇을 말해 줄까? 우리는 이렇게 높은 IQ를 가지고 집중적으로 많은 시간을 공부하고 있는데 왜 결과는 이렇게 부끄럽고 초라할까? 꼭 노벨상을 받아야 하고, 명문대를 다녀야 한다는 것은 아니지만 무엇인가 우리의 학습법에 문제가 있지는 않은지 되짚어보게

하는 대목이다.

'말문을 터라'라는 프로그램에서는 우리의 '말하지 않는 공부법'을 문제로 들고 있었다. 우리는 학교라는 교육 기관에 가면서부터 질문을 점점 잃어가는 것 같다. 우리는 침묵하면서 공부한다.

초등학교에 입학하면서부터 엄마는 당부한다.

'학교에 가면 선생님 말씀 잘 듣고……'
'수업 시간에는 절대 말하면 안 돼, 떠들면 남에게 방해가 돼.'

그리고 우리는 이 말을 잘 따른다. 수업 시간에 말을 하면 안 되고, 그것은 수업을 방해하는 일이 되고, 나와 남에게 방해가 된다고 생각하게 된다. 이 생각은 점점 굳어져서 움직이지 않는다. 그러면 이 조용한 우리의 학습 방법은 무슨 문제를 가지고 있는 걸까?

조용하다는 것은 수동적인 자세를 뜻한다. 가만히 앉아서 시간이 흘러가는 것을 바라본다. 시간은 흐르고 수업이 끝나는 종이 울리면 아이들은 안심한다. 긴 시간을 아무 말도 하지 않고 가만히 앉아서 듣기만 한다는 것은 참으로 대단한 참을성을 필요로 하는 일이다. 그 공부가 재미있을 리가 없다는 말이다.

수업 시간에 몸을 움직이며 동작을 한다는 것은 정신도 움직이고 있다는 뜻이다. 굳이 몸이 움직이지 않아도 입이 살아서 움직인다는 것은 우리의 두뇌도, 정신도 살아서 움직인다는 뜻이다. 그래서 『질문이 있는 교실』이라는 책에서는 글쓴이가 조용한 교실에서 조용한 수업을 들으며 자는 것보다는 차라리 공부 이외의 다른 이야기라도 주고받으며 떠드는 것이 낫다고 한다. 그러면 스트레스라도 풀린다고 하면서.

그 부분을 읽을 때는 웃어넘겼는데, 곰곰 생각해 보면 그 말이 일리

가 있다. 조용히 자는 것보다는 뇌가 깨어서 움직이는 것이 낫지 않겠는가?

유대인의 수업 시간은 시끄럽다. 유대인의 학교에도 교과서가 있지만, 교과서 진도에 얽매이지는 않는다고 한다. 그리고 그들은 질문하고 대답하는 시끄러운 공부법으로 유명하다. 얼핏 생각하면 조용하게 공부를 해야 성적도 좋을 것이라고 느껴지지만 결과는 전혀 다르다.

우리나라 대학생을 대상으로 8명씩 두 그룹으로 나누고, 한 그룹은 조용한 교실(독서실처럼 칸막이가 설치된 장소)에서 공부하게 하고, 한 그룹은 서로 시끄럽게 이야기를 나누면서 공부하게 했다. 그런 다음 시험을 치른 것이다. 그 결과는 놀라웠다. 우리의 예상과는 전혀 달랐으니까 말이다.

왜 이런 결과가 나왔을까. 이것이 바로 질문의 힘이다. 시끄럽게 질문하고 대답하는 과정을 통해 생각이 정리되는 것이다.

'아, 나는 이것에 대해서 잘 모르고 있었구나.'
'아, 이것은 설명해 보니까 내가 잘 알고 있는 것이구나.'

이런 과정을 거치게 되면 우리의 학습 능력은 자라나게 되는 것이다. 뿐만 아니라 공부에 흥미를 느끼게 된다. 질문하는 공부의 좋은 점은 공부에 대한 흥미를 지속시켜준다는 점이다. 이렇게 공부하는 습관이 붙으면 꼭 시험이 아니더라도 스스로 꾸준히 공부를 하게 된다. 그래서 대학을 졸업하고도 공부하고 연구하는 자세를 유지하게 된다.

조용한 공부방에서 공부하는 우리나라 사람들 대부분은 대학 입학까지만 공부하거나, 취업할 때까지만 공부한다. 공부 자체에 재미를 느끼는 것이 아니라 필요하니까 결과를 얻을 때까지만 하는 것이다.

그렇게 되면 '큰 그릇은 늦게 이루어진다.'라는 대기만성의 인재를 기대하기가 어렵다. 꼭 노벨상이 목표는 아니지만, 대기만성한 우리나라의 인재가 수상을 하면 얼마나 좋을까. 똑똑하고 재주가 많은 우리의 아이들이 커서도, 나이가 들어서도 공부하고 연구를 한다면, 우리나라의 지적 재산이 엄청 늘어나지 않을까? 지적 재산이 많은 나라가 정말로 부유한 나라일 것이라고 생각하면서, 우리 나라의 밝은 모습을 기대해본다.

책을 읽고

교사라는 직업은 매일 아이들을 만나는 일이다. 아이들을 매일 만나면서 아이들이 가장 예쁜 모습으로 보일 때가 언제일까? 나는 아이들이 책을 읽는 모습을 볼 때, 그 아이가 너무 훌륭하게 보인다. 우리 학교는 아침독서 시간을 운영하고 있어서 아름다운 아이들의 모습을 더 많이 볼 수 있다.

그 시간에 나도 책을 펴들고 앉아서 읽는데 교사라서 좋을 때가 바로 이때다. 덩달아 나도 책을 많이 읽을 수 있다는 점이 참 좋다. 그래서 나는 독서 시간이 시작되는 8시 30분보다 20분 정도 먼저 교실에 들어간다. 등교하자마자 교무실에서 커피 한 잔을 타고 읽을 책을 들고 교실로 간다. (코로나 이전의 상황이 그립다.) 아이들과 같이 책을 읽으면 그 시간이 더 아름다운 모습으로 흘러가는 것을 느낀다. '우리들은 이 공간 속에서 서로 성장하고 있구나!'라는 생각이 드는 것이다.

우리는 이렇게 책을 읽어야 할까? 그리고 대부분의 사람들은 이렇게 '시나브로' 책을 읽고 있을까? 나는 학생들이 책과 가까이하면서 정신적인 성장을 거듭해나가기를 바란다. 우리는 학교에 다니면서 공부를 잘해야 한다고 생각한다. 그러면서 공부하느라 바쁘다는 말을 한다. 학원에 가야 하고, 과외를 받아야 하고, 독서실에 가는 아이들도 있다. 그래서 그들은 책을 읽을 시간이 없다고 미리 마음을 먹는다.

그런데 오랜 교직 경험을 통해 볼 때 책을 읽지 않고 교과서 지식만 습득한 아이들은 오래 성장하지는 못하는 것 같다. 반짝 성적이 오르는 것 같지만 더 이상 올라가지 않는 것이다. 아마 주변의 지식이 받쳐주지 않아서가 아닌가 하는 생각이 든다. 그래서 나는 궁극적인 공부는 책을 읽는 것이라는 생각을 갖게 되었다. 읽기 자체가 가장 좋은 공부 방법이라는 말이다. 내가 아이들에게 자주 들려주는 말이기도 하다.

지금 당장 효과를 내고 싶으면 교과 공부를 하는 것이 좋지만 장기적인 학습을 위해서는 독서만큼 좋은 것이 없다.

그래서 나는 매일매일 교과서를 보는 것보다 책을 읽는 것이 훨씬 더 자기 자신을 위해 유익하다고 생각한다. 그리고 시간이 없어서 책을 읽지 못한다고 하는 사람은 평생 책을 읽을 시간이 없을 거라고 생각한다. 시간이 있어서 책을 읽는 것이 아니라, 책을 읽으니까 시간이 나는 것이 아닐까? 한가해서 책을 읽는 것이 아니라, 책을 읽으니까 정신적으로 여유가 생기는 것이 맞다. 혹시 책 읽을 시간이 없다고 느낀다면, 그 시간에 얼마나 생산적인 일을 하고 있는지 돌아봐야 한다. 주변에 책 읽을 시간이 없다는 친구들은 휴대폰을 밤늦게까지 들여다보고 있다. 이렇게 하다 보면 우리에게 책을 읽을 시간이 있을 리 없다.

그런데 읽어야 한다. 책 읽을 시간은 충분히 있다. 우리는 어떻게 책을 읽어야 할까?

내가 좋아하는 구절 중에 '망중한(忙中閑)'이라는 말이 있다. 이 말을 생각하면서 학생들에게 물은 적이 있다.

> "어떤 사람이 가장 한가한 사람일까?"
> "일이 없어서 놀고 있는 사람요."
> "일이 없어서 놀고 있는 사람은 자신이 한가하다고 생각할까?"

정말로 한가하다는 것은 바쁘게 일을 하다가 잠깐의 틈이 있을 때이다. 그리고 오래 일하다가 쉴 때가 아닐까? 그래야 휴식이라는 느낌이 들 것이다.

우리가 책을 안 읽는 것은 결코 시간이 없어서가 아니다. 시간은 늘 있다. 모든 인간에게 가장 공평하게 하루 24시간으로 흘러간다. 우리는 책을 얼마나 읽을까? 그리고 어떻게 읽을까?

나는 독서 삼매경이라는 말을 좋아한다. 나에게도 그런 추억이 있고, 그 추억을 떠올릴 때면 저절로 미소가 번진다.

초등학교 시절에는 교실에 책이 몇 권밖에 없었다. 책 읽기를 좋아했던 나는 그 책들을 한꺼번에 다 읽어버렸는데, 나중에 '아, 좀 천천히 읽을걸!' 하면서 아쉬워했던 경험이 있다. 그때 한 달에 한 번 나오는 『어깨동무』라는 잡지책도 있었는데 나는 그것도 단숨에 읽어버렸다. 한 달을 또 기다려야 책을 읽는다는 마음에 서운함이 담겨 있었다.

또 교사 생활을 할 때, 시내버스에서 책을 읽었다 내려야 할 정류장을 놓치기도 했다. 그때 읽은 책은 베르나르 베르베르의 『개미』였다. 그 책은 내가 그때까지 생각해 보지 않았던 아주 새로운 소설이었다. 얼마나 재미있었던지. 정류장을 놓쳤지만 아무렇지도 않은 척, 다음 정류장에서 내려 집으로 걸어가는 길이 행복했었다.

그때 나는 독서 삼매경에 빠졌던 것이다. '삼매경(三昧境)'이라는 단어를 사전에서 찾아보니 아래의 뜻이 있었다.

[불교]
잡념을 버리고 한 가지 대상에만 정신을 집중하는 경지. 이 경지에서 바른 지혜를 얻고 대상을 올바르게 파악하게 된다. '삼매(三昧)'는 산스크리트어 'samadhi'의 음역어이다.

독서 삼매경에 빠지면 주변의 모든 것이 다 책 속으로 빨려 들어가지 않을까? 옆의 사진처럼. 옆의 사진은 내가 개인적으로 가장 좋아하는 사진이다. 책 속으로 걸어 들어갈 것 같은 아이의 모습이 나에게 웃음을 주기 때문이다. 무슨 책인지는 모르겠지만 어쨌든 책과 아이는 하나가 된 듯하다. (또 이러한 순간의 모습을 포착해서 사진을 찍어준 유치원 선생님께 너무 감사한 느낌이다. 내가 행복하게 사진을 바라볼 수 있도록 했으니까, 아마 의도해서 설정을 한다고 해도 위와 같은 장면을 만들기가 쉽지 않았을 것이다.) 이렇게 몰입해 읽으면 책 읽는 시간이 지루하다는 말은 하지 않을 것이다.

책을 읽을 때는 어떻게 읽어야 할까? 책을 읽는다는 것은 무슨 의미일까? 가만히 생각해 보면 책을 읽는다는 것은 책을 쓴 작가와 만나는 것이다. 책을 쓴 작가는 무엇인가 자신이 전하고 싶은 이야기가 있어서 글을 쓴 것이다. 그런데 작가는 '나는 이 이야기를 하고 있다.'라고 직접 말하지 않는다. 그래서 어떤 사람들은 책을 읽었는데 그 내용이 무엇인지 잘 말하지 못한다. 그리고 무엇을 느끼고 깨달았는지 말하지 못한다. 우리는 책을 읽으면서 작가와 이야기를 주고받으며 작가가 전해주려는 말이 무엇인지를 들어야 한다. 그래야 작가의 생각과 내 생각이만나서 내가 자라게 되는 것이다.

그렇지만 반드시 작가의 생각을 알아내야만 하는 것은 아니다. 글을 쓸 때에는 작가의 의도나 생각이 반영되지만, 그렇다고 해서 독자들이 반드시 그 의도나 생각대로 읽어야 하는 것은 아니다. 책과 작가를 별개의 것으로도 생각할 수 있다. 책은 이미 책 그대로의 생명력을 지니고 있는 것이다.

책을 읽는다는 것은 또 책 속의 인물들과 만나는 것이다. 책 속의 인물들은 작가가 상상해서 지어낸 인물이지만 우리 주변에 있음직한 인물들이다. 그러니 우리는 책 속의 인물들과도 이야기를 나누어야 한다. 등장인물이 어떤 행동을 할 때 우리는 그 인물에게 질문을 던져야 한다. '너는 왜 그런 행동을 하니?', '다른 방법으로 문제를 해결할 수는 없겠니?' 등등 많은 질문을 던지면서 대화를 나누어야 한다.

이런 활동들을 해야 하는 이유는 더 있다. 왜냐하면 이런 활동들이 독서의 재미를 느끼게 하기 때문이다. 작가와 등장인물과 이야기를 주

나의 큰딸의 유치원 시절, 책을 읽는 모습을 순간 포착해서 선생님이 찍어서 보내 준 사진

고받는다는 것은 머릿속으로 그들의 모습과 말투를 상상하면서 책을 읽는다는 것이다. 이런 상상력이 책을 읽는 재미를 느끼게 하는 것이다. 이런 활동이 전혀 없다면 '흰 것은 종이요, 검은 것은 글씨로다.'라는 식으로 전혀 배움이 일어나지 않는 재미없는 독서가 되는 것이다. 이렇게 책의 재미를 느끼지 못하는 사람은 다시 책을 읽을 리가 없다. 그냥 마지못해서 책을 읽는 흉내만 내는 것이다.

상상하면서 책을 읽으면 우리들도 책 속으로 들어가게 된다. 책 속의 내용에 이끌려 손오공이 되었다가, 로빈훗이 되었다가, 홍길동이 되는 것이다. 그래서 그들의 말을 들으면서 그들과 대화를 나누는 것이다. 이런 활동은 읽는 사람을 성장시켜 준다. 책이 재미가 있으니까 읽게 되고, 읽으면서 자신은 더 성장하고……. 책을 읽는 사람과 읽지 않은 사람의 차이는 갈수록 커져 간다. 똑같이 나이를 먹어가지만 상상하는 힘이나 생각하는 힘의 차이는 점점 벌어져 간다.

이렇게 작가와 등장인물들과 대화를 나누며 상상하는 활동들이 이루어져야 우리는 비로소 한 권의 책을 읽었다고 말할 수 있다. 그저 책장만 넘긴다고 책의 내용이 내게로 오는 것은 아니다. 책과 이야기를 주고받아야 책이 주는 내용을 제대로 받아들일 수 있는 것이다.

질문 만들기

책을 읽으면 잠시 생각하는 시간을 가져야 한다. 책만 바쁘게 읽는 것은 별 의미가 없다. 그것은 보기만 할 뿐, 생각이 일어나지 않을 것이기 때문이다. 마치 좋은 음식을 먹었는데 몸에 흡수되지 않는 것과 같다고 할까.

그런데 이런 생각하기를 혼자만 하는 것과 서로 하는 것은 많은 차

이가 있다. 독서는 혼자서 하는 것도 좋다. 아니, 혼자서 하는 것이 집중이 더 잘 되어 좋다. 책을 읽는 데에만 의의를 둔다면 그렇다. 하지만 여기서 멈추면 안 된다. 책만 읽고 그 책에 대한 생각을 다른 사람들과 교류하지 않는다면, 생각을 하기는 하되 그 폭이 좁고, 어쩌면 잘못된 생각을 갖기도 쉽다. 편견이 생길 수도 있다. 나만 읽고 나 중심으로만 생각하면 그것이 책의 전부라고 느끼게 되니까 말이다.

그런데 생각을 교환하려면 어떻게 해야 할까? 나는 질문하는 것이 좋은 방법이라고 생각한다. 질문을 해야 상대방과 생각을 주고받을 수 있으니까. 하지만 이미 처음 부분에서 말했던 것처럼 우리는 질문하기를 두려워하는 것 같다. 궁금한 점이 있어도 질문을 하지 않고, 그런 습관이 굳어지면 아예 질문이 생기지 않기도 한다. 무감각하게 받아들이기만 하는 태도가 굳어지는 것이다.

그래서 나는 질문을 만드는 연습이 많이 필요하다는 것을 느낀다. 저절로 질문이 떠오르면 얼마나 좋을까? 하지만 질문하기 연습을 많이 하지 않으면 질문하는 방법을 영영 잊어버릴 수도 있다. 우리는 매 순간 필요한 질문을 던지면서 답을 찾아야 하는데 말이다. 질문을 하지 않는다는 것은 스스로를 바보로 만들어 버리는 것이다. 책을 읽어놓고 확장시키지 않는다면 그것은 참 어리석은 짓이다.

이제부터라도 책을 읽고 질문을 만드는 연습과 질문으로 답을 찾는 연습을 같이 하면서 우리의 생각을 키워보자. 다음에 소개된 「만남이 이루어졌다 할지라도」라는 체호프의 단편은 여러 번에 걸쳐 학생들과 다양한 토론을 했던 글이다. 내용 자체도 해학적인 측면이 있어 재미있고, 개인의 음주 습관에 대해서도 생각해 보게 만드는 책이다.

러시아를 배경으로 한 책이라서 주인공의 이름부터 어렵다. 그보즈디코프는 별장 주인의 아들에게 산수를 가르치며 별장에 딸린 집에 사

는 가난한 공무원 시험 준비생이다. 그는 공무원 시험에 합격하고, 또 예쁜 소냐로부터 만나자는 편지까지 받고, 만남의 시각인 8시를 기다리는 중이다. 점심을 먹고 하녀에게 맥주를 가져오라고 시킨 후, 천천히 마시면서 그의 사고 능력도 점점 변해간다. 6병을 다 마시고 나서 취한 채로 산책을 나갔는데, 기다리던 소냐를 알아보지 못하고 횡설수설하며 실수를 연발한다.

이튿날, 어제 못 나가서 죄송하다며 다시 만나자는 제안의 편지를 받은 소냐는 맥주를 마시는 것이 자기를 만나는 것보다 더 좋을 것이라며 맥주나 마시라고 답장을 보낸다. 추신으로 답장을 쓰지도 말라면서 말이다.

술 때문에 벌어진 사건들이 재미있기도 하고, 또한 우리 사회의 음주 문화나 음주 문제에 대한 이야기도 같이 연결지어 생각할 수 있는 좋은 단편이다. 나는 질문 만들기에서 토론 학습을 시작한다.

질문 만들기는 그 자체가 하나의 학습이다. 학습은 궁금한 것에 대한 답을 찾는 것이기 때문에 찾으려는 마음이 일어나게 하는 질문이 있어야 한다. 질문을 만들다 보면 책의 내용을 더 자세히 들여다보게 되기도 한다.

수업의 진행 과정은 다음과 같다.

① 위의 책과 관련하여 질문을 만들어 봅시다. 일차적인 질문은 개인적으로 만들어 보도록 하겠습니다. 우선 10개를 만드는 것을 목표로 하고 질문을 만듭니다. (질문을 10개 만드는 것은 아주 힘들다. 잘하지 못하는 학생이 있다면 선생님이 개별적으로 지도하는 것이 좋다. 질문을 만들기 때문에 학생들이 모두 책을 집중하여 읽게 된다. 스스로 질문을 찾기 위해 책의 내용을 제대로 읽을 수밖에 없으니까.)

② 자신이 만든 질문을 다시 들여다보면서 이 중에 좋은 질문을 3개 추려 주세요. 왜 좋다고 생각하는지 이유도 생각하세요.(학생들이 자신이 만든 질문을 스스로 검증하는 단계이다. 질문에도 수준 차가 있다는 것을 스스로 느껴간다.)

③ 각자의 질문들을 보고, 모둠별로 가장 좋은 질문을 하나 정해주세요. 그리고 한 명이 나와서 칠판에 그 질문을 적어 주세요. 선생님이 만든 질문도 하나 적겠습니다.(자신이 만든 질문이 선택되었을 때 아이들은 무척 즐거워한다. 질문 만들기에 신중을 기하기도 하고. 선생님의 질문을 포함하는 이유는 학생들이 놓친 핵심적인 질문을 넣기 위해서이다.)

④ 모두 칠판에 적힌 질문들을 보면서 좋은 질문과 좋지 않은 질문을 골라봅시다. 그리고 혹시 다르게 바꾸었으면 하는 질문이 있으면 평가해 주세요. 평가에는 반드시 그 이유를 말해 주세요.(좋은 질문으로 선정이 되면 그 앞에 별표를 붙여준다. 별표가 많을수록 좋은 질문으로 인정받는 으쓱함이 있다.)

⑤ 칠판에 확정된 질문을 학습지에 적고, 이제부터 질문하기, 대답하기를 시작하겠습니다. 모둠별로 활동해 주세요. 그리고 주장에는 반드시 이유를 들어서 대답해야 합니다. 1번이 질문하면 2번이 대답하고, 2번이 질문하면 3번이 대답하고……. 혹시 대답이 부족하다고 느끼면 모둠의 다른 학생이 보충해 주세요. 그리고 말하면서 쓰고, 들으면서 쓰세요. 친구가 쓴 것을 베끼지는 마세요.(쓴 것을 읽거나, 친구가 쓴 것을 베끼는 것은 듣기 훈련을 방해할 수 있어서 동시에 진행해야 한다.)

⑥ 이제 모둠별 활동이 끝났는데요. 지금부터는 몇 가지 질문에 대한 대답을 확인해보겠습니다. 1번 질문을 확인해보겠습니다. 1모둠 대답해주세요. 2모둠 대답해주세요…….(선정된 두세 개의 질문에 대한 답을 교사가 칠판에 요약하며 적는다. 그리고 그 타당한 대답은 무엇인지 판단

이런 질문하기 활동은, 대체로 2교시 정도가 되면 마무리된다. 아이들이 수업 시간을 어떻게 보냈을까? 반에 따라 차이가 있기는 하지만 대체로 모둠별로 열심히 질문하고 대답하는 모습이다. 간혹 대답을 잘하지 못하는 아이가 있으면 선생님이 옆에 서서 응원을 해 준다. 처음 시작했을 때, 한 아이의 반응이 놀라웠다. 너무 재미있다고, 시간이 너무 빨리 간다고 했다.

이런 활동을 계속하다 보니 지금은 아이들이 질문을 만드는 시간이 좀 빨라졌다. 처음에는 어떻게 질문을 만들지 고심하던 아이들도 스스로 질문을 만들어내곤 하는 것이다. 간혹 너무 좋은 질문을 만들어서 선생님을 감동시키기도 한다.

질문하고 대답하기

처음 시작할 때에는 충분한 안내를 하고 진행해야 한다. 질문 만들기는 정말 생각을 많이 해야 하는 어려운 일이니까 본문의 글을 한 번 더 읽으면서 생각을 만들어 보라고 한다. 전체적으로 학생들이 힘들어하고 있다면, 교사가 먼저 본문의 어느 한 부분이나 문장을 통해서 질문을 이끌어 내는 방법을 보여주어야 한다.

3점을 맞았는데 5점을 맞았다고 거짓말하는 부분에서는 '거짓말을 해도 되는가?', '나라면 몇 점을 맞았다고 했을까?'라는 질문을 만들 수

있다고 해 준다. 맥주 6병을 하녀가 가져오는 부분에서는 '6병을 가져오게 한 것은 잘못이 아닌가?', '자신의 주량을 모르고 많은 술을 먹으려고 한 것은 잘못인가?' 등의 질문을 만들 수 있다고 하면서 질문을 끌어내는 방법을 안내한다.

쓸데없는 일을 하는 것을 제주어로 '골체부지런'이라 한다. 골체(삼태기)는 주로 칡으로 얽기 때문에, 아무리 부지런히 일해도 성긴 코 사이로 새어버린다는 뜻이다. 물론 나는 그 말을 들었을 때 어머니에게 질문을 해서 그 말의 쓰임을 알았다. 질문을 만드는 것이 쓸모 있는 활동이 되려면, 쓸모 있는 좋은 질문을 만들어야 한다.

이런 질문을 만드는 단계가 충분히 훈련이 되고, 학생들이 질문을 다만들고, 좋은 질문을 추려내는 활동을 거치고 나면, 그 좋은 질문들에 대한 답들을 찾아보아야 한다. 우리들의 생각을 교환해야 하는 것이다.

앞에서 책을 읽으면 글을 쓴 작가와 만나고, 등장인물과 만나는 것이라고 했는데, 하나 더 남아 있다. 바로 그 책을 읽은 독자들과 같이 만나는 것이다. 작가나 등장인물을 만나는 것은 개인적인 활동으로도 충분히 가능하다. 나의 상상력을 동원하면 되니까. 그러나 이 활동만으로 그치는 것은 조금 모자란 면이 있다. 왜냐하면 나만의 생각에 사로잡힐 수 있기 때문이다. 여기에 빠지게 되면, 나의 생각을 검토해보는 과정 없이 나만을 생각하는 편협한 사람으로 자랄 수도 있다.

독서가 궁극적으로 나와 다른 사람들과 사회를 이해하는 수단이 되게 하려면 나의 생각이 또 다른 사람들의 생각과 만나야 한다. 그것을 가능하게 하는 것이 바로 질문하고 대답하는 활동이다. 이것이 바로 유대인의 하브루타 활동이라 할 수 있다.

이때는 모두 말하기와 듣기에 집중해야 한다. 모두가 떠들썩하게 활동하고 있지만 각자 자기 모둠에만 집중하기 때문에 시끄러움이 서로를

방해하지 않는 시간이다. 상대방의 말을 들으면서 내용을 메모하고, 또 상대방에게 말하면서 내 생각을 메모해야 한다. 가끔 미리 질문에 대한 대답을 써 놓고 그것을 읽는 학생이 있는데, 주의를 주어서 미리 쓰지 않도록 해야 한다. 미리 쓰고 읽는다면 그것은 말하기 활동이 아니라 읽기 활동이 될 것이기 때문이다. 미리 생각을 할 수는 있다. 왜냐하면 우리는 질문을 만들 때 이미 그에 대한 대답을 스스로 하기 때문이다.

마찬가지로 친구가 쓴 것을 미리 베껴 쓰는 활동도 하지 않도록 주의시켜야 한다. 우리는 쓰기 활동이 아닌 듣기 활동을 해야 하기 때문이다. 그래서 반드시 질문이 끝나면 바로 대답을 하고, 그 대답을 들으면서 요약하고 메모해야 한다. 질문하고 대답하기는 바로 현장에서 이루어지는 말하기·듣기 활동이기 때문이다.

질문을 할 때에는 상대방의 눈을 보면서 말해야 하고, 대답을 할 때에도 반드시 이유나 사례를 들어서 말해야 한다. 이 대답에는 대체로 옳고 그름이 없다. 다만 왜 옳은지, 왜 그른지에 대한 타당한 이유가 있을 뿐이다. 좋은 질문이란 참과 거짓을 가르는 질문이 아니다. 다양한 생각들이 나올 수 있는 질문이 좋은 질문인 것이다. 그래야 다양한 생각들을 주고받으면서 자신의 생각을 돌아보고 정리할 수 있다.

이런 활동들을 통해 우리는 논리적이고 합리적인 사고 능력을 키울 수 있다. 당연히 말하고 듣는 활동을 통해 배려하고 더불어 살아가는 자세까지 기를 수 있는 것이다. 공감하고 소통하는 시간인 셈이다.

'저 아이의 생각은 나와 다르구나!'
'그렇게 생각할 수도 있구나!'

수업했던 학생들이 좋은 질문이라고 선정해서 활동했던 질문들이다.

1. 절교를 선언한 소녀의 행동은 옳은가?

이 질문이 아직도 인상적이라고 기억에 남는 이유는 학생들의 답변이 옳지 않다는 쪽으로 기울었기 때문이다. 특히 그때는 여학생들을 대상으로 토론하고 있었기 때문에 당연히 소녀의 행동을 옳다고 여길 줄 알았다. 또한 나는 당연히 '절교를 선언해야 한다.'라고 생각하고 있었는데 학생들은 남자주인공이 술에 취해서 자기도 모르고 한 행동이니까 용서해주어야 한다는 것이고, 그가 불쌍하다고 했다. 만약 그보즈디코프가 우리 가족이라면 어떻게 할 것이냐면서 말이다.

그래서 나도 덧붙이면서 질문을 해 보았다.

'그럼 소녀가 우리 가족이라면 그런 남자랑 계속 사귀게 할 것이고?'

그래서 어느 한쪽으로 결론을 내는 것이 참 어렵다는 걸 우리 모두가 느꼈다.

2. 술은 우리 사회에 유익한가?

이 질문에 대한 대답도 예상 밖이었다. 학생들은 대부분 술은 과하지 않는 한 유익하다고 대답했다. 아예 술이 없으면 문제가 없지 않겠느냐고 했더니 그러면 인생이 재미없어질 것이라고 해서 우리 모두 웃었던 기억이 있다. 아이들은 술을 낭만적인 단어로 인식하고 있다는 것을 느꼈다.

그러면서 우리나라가 음주공화국이라는 말도 있다는 이야기, 작가가 속한 러시아는 음주가 더 심하다는 이야기 등등 재미있는 주변 이야기들도 오고 갔다.

그리고 탈무드의 이야기가 또 등장한다.

인간이 포도를 심고 있을 때, 악마가 양, 사자, 돼지, 원숭이를 죽여 그 피를 거름으로 뿌렸다고 한다. 그래서 한 잔을 마시면 순한 양이 되고, 더 마시면 용감한 사자처럼 행동하고, 더 마시면 뒹구는 돼지처럼 행동하고, 더 마시면 원숭이처럼 날뛴다는 것이다.

또 내가 좋아하는 『어린 왕자』에는 술꾼이 사는 별이 나온다.

술꾼은 계속 술을 마신다. 어린 왕자와의 대화가 이어진다.

"왜, 술을 마시나요?"
"부끄러움을 잊기 위해서지."
"아저씨는 무엇이 부끄러운가요?"
"술을 마신다는 것이 부끄러워."

『어린 왕자』를 읽으며 이 대목에서 너무나 황당했던 기억이 지금도 느껴진다.

나는 개인적으로 '술'이라는 단어만 좋아한다. 시의 구절이나 노래 가사 중에도 '술'이라는 단어가 자주 등장하고, 왠지 텅 빈 마음이나 공허함 같은 느낌이 풍긴다. '술술 풀린다.'라는 단어를 좋아하기 때문이기도 하다. 하지만 실제로는 술을 싫어한다. 그리고 술을 마시는 사람들도 썩 이해가 되지는 않는다. 사람들은 왜 술을 마실까?

3. 술 소비를 규제하는 것은 가능한가?

학생들은 이 질문에 대해서는 대체로 불가능하다고 대답했다. 술 소비를 금지하면 지하경제를 키우게 될 것이라고, 미국이 금주법을 시행했을 때의 부작용을 예로 들기도 했다. 또한 개인의 자유를 구속하는 것이기 때문에 규제할 수 없다는 주장도 있었다.

아주 날카로운 대답을 했던 학생이 생각난다. 그 학생은 우리나라 경제에 타격을 준다면서 규제하면 안 된다고 주장했다. 그 학생은 '음주'라는 말 대신에 '주류산업'이라는 말을 썼다. 주변에도 이와 관련된 직업에 종사하는 사람들이 있는데 규제를 한다면 이들이 실업자가 될 것이라고 그래서 불가능하다고 답변했다.

이런 장면에서는 교사와 학생 모두가 다시 대상을 새로운 눈으로 바라보게 되는 경험을 한다. 이러한 과정을 통해 우리는 서로를 성장시켜 주는 경험을 한다.

주류산업이라서 규제할 수가 없다고 했을 때, 나는 『광수생각』이라는 책의 한 구절이 생각났다.

신뽀리가 말한다.

"나는 도박을 증오한다. 도박은 이 세상에서 없어져야 한다. 우리나라 곳곳에 도박장이 있다는 것은 수치이다. 그러나 정치가들은 결코 도박장을 폐지하지 않을 것이다. 폐지하지 않는다는 것에 10만원을 걸어도 좋다."

혼디모영토론교과연구회 회원들을 대상으로 연구수업을 할 때 나는 질문 만들기 과정을 택했다. 그동안 디베이트 토론은 여러 번 진행했었기 때문에 질문을 만들고 좋은 질문을 찾아가는 과정, 그리고 학생들의 자유로운 답변이 오가는 수업을 해보고 싶어서였다.

토론하기

「만남이 이루어졌다 할지라도」라는 단편은 생각하고 질문하고 토론하는 모든 부분에 다 유용한 글이었다. 이 단편으로 토론을 다양하게 전개해 보았다. 3:3 디베이트 토론도 하고 만장일치 토론도 해 보았다. 먼저 3:3 디베이트 토론을 시작했다.

위의 질문하고 대답하는 과정을 거치면 이 중에서 더 본격적으로 토론을 해 봐야지 하는 논제가 떠오른다. 위의 3가지 질문과 대답을 들으면 3가지 모두 좋은 논제가 될 수 있다. 이 중에서 나는 세 번째를 가지고 토론을 했다.

논제는 '주류 판매 시간을 제한해야 한다.'로 정했다. 3:3 디베이트 양식을 모두가 기본적으로 알고 있기 때문에 입론을 작성하는 활동부터 시작하였다. 주류 판매 시간을 왜 제한해야 하는지를 궁리한다. 만약 학생들이 그 이유를 잘 찾지 못하면 모둠별로 찾도록 하고, 그것도 힘이 들면 전체가 교사와 함께 궁리하는 시간을 갖는다.

토론 학습지 (입론)	「만남이 이루어졌다 할지라도」 관련 토론			스스로 점수
	( )반 ( )		날짜	

논제	주류 판매 시간을 제한해야 한다.
	(핵심 개념 정의)
문제 제기	등장배경 및 개선의 필요성

		찬성 측	반대 측
첫째	이유		
	근거 사례		

토론 학습지 (판정)	논제:			스스로 점수
	( )반 ( )		날짜	
구분	찬성 측( ), ( ), ( )		반대 측( ), ( ), ( )	
첫째				

만장일치 토론
「우호사절」

　나는 혼디모영토론교과연구회에서 활동하고 있다. 그리고 1년에 한 번 교과연구회 회원들을 대상으로 한 토론 수업을 공개하고 있다. 매해 다른 작품의 다른 논제, 기왕이면 다른 토론의 방법을 적용하려고 노력한다. 한번은 국어과 후배 교사의 토론 수업을 본 적이 있다. 만장일치 토론이었는데, 너무 재미있었다. 자료를 어떻게 구했느냐고 했더니, 예전 국어교과모임자료에서 찾았다면서 건네주었다. 학습활동의 시작은 무인도에 불시착한 사람들이 생존을 위해 필요한 물건들을 정하는 것인데, 손전등 나침반, 침낭 등의 여러 물건들 중에서 가장 필요한 것이 무엇인지 순서대로 정하는 것이었다. 그리고 그 정답과 이유가 이미 정해져 있었다.

　이미 최선의 정답이 나와 있는 것은 굳이 토론으로 최선의 방법을 정할 필요가 없다. 전지전능한 어떤 인간이 있다면 우리는 그 인간을 따라가면 될 것이기 때문이다. 그래서 재미있는 그 방법만을 따라하면 좋을 것 같다고 생각했다.

　마침 내가 읽은 단편 중에 이 토론의 형식을 적용해보고 싶은 작품이 나타났다. 문제를 해결하기 위한 최선의 방법은 무엇인지, 그리고 나의 생각은 우리 모둠원이나 우리 학급 전체 학생들의 의견과 어떻게 다른지를 판단할 수 있어서 상당히 재미가 있을 것 같았다.

　다음은 혼디모영토론교과연구회 수업과정안이면서 나에게 있어서는 새로운 토론의 방법을 시도한 것이다.

인간을 인간답게 하고, 그 인간을 평가하는 일차적인 기준이 되는 것은 무엇일까? 인간답게 만들어주는 것들은 무엇일까?

인간을 인간답게 만들어주는 것은 바로 언어이다. 우리는 언어를 통해서 인간다움을 배우고, 그 언어를 사용하여 서로의 인간다움을 키워준다. 인간은 언어를 통해 아름다운 문화를 만들어냈으며, 그 문화를 누리며 발전시켜 왔다. 언어를 통해 옳고 그름을 판별하고, 정의와 불의를 구분하며, 이기적인 것과 이타적인 것을 조율하면서 사회를 발전시켜 온 것이다.

인간을 판단하는 일차적인 기준은 당연히 그 사람의 언어를 보는 것이다. 물론 그 사람의 언어와 품행이 일치하는지를 판단해야 하지만, 일차적으로는 그 사람의 언어를 보면 그 사람의 품격이 곧바로 느껴진다. 언어는 우리 사회의 산물이지만, 각 개인은 독특한 자신만의 언어를 사용하고 있다. 언어를 사용하면서 자신의 존재를 알게 모르게 알리고 있다. 우리 주변에서 쉽게 쓰이는 말은 모두 우리 사회의 '나'라는 존재가 사용한 말들이다. 그 말들 속에 문제를 만들어내는 말이 있고, 반대로 문제를 해결해가는 말이 있다.

내가 좋아하는 수필 중에 「지란지교를 꿈꾸며」라는 유안진의 글이 있다. 마치 시처럼 아름다운 문장이라서 대학생이었을 때 전체 문장을 친구와 같이 외우곤 했었다.

> 저녁을 먹고 나면 허물없이 찾아가, 차 한 잔을 마시고 싶다고 말할 수 있는 친구가 있었으면 좋겠다. 입은 옷을 갈아입지 않고, 김치 냄새가 좀 나더라도 흉보지 않을 친구가 우리 집 가까이에 살았으면 좋겠다. 비 오는 오

후나, 눈 내리는 밤에 고무신을 끌고 찾아가도 좋을 친구, 밤늦도록 공허한 마음도 마음 놓고 열어 보일 수 있고, 악의 없이 남의 이야기를 주고받고 나서도 말이 날까 걱정되지 않는 친구가.

- 유안진, 「지란지교를 꿈꾸며」 중에서(『지란지교를 꿈꾸며』, 아침책상, 2021)

첫 문단인데 여기에서 마음에 드는 부분은 마지막 부분이다. '악의 없이 남의 이야기를 주고받고 나서도 말이 날까 걱정되지 않는 친구'는 생활에서 문제를 일으키는 사람이 아니다. 친구들 사이에 가끔씩 일어날 수 있는 불만 표시나 비판으로 친구 관계가 틀어지는 것을 보곤 하는데, 아마 저 글귀 속의 친구라면 그런 걱정은 없을 것 같다.

우리가 알고 사용하는 어휘들은 실로 별 차이가 없다. 모두들 기본적인 언어를 사용하며 일상적인 생활을 하는데, 각 개인마다 언어의 품격이 다르다. 고상하고 품위 있게 남을 배려하며 말하는 사람도 있고, 남의 좋지 않은 점만을 비난하거나, 비속어를 사용하며 상대방을 자극하는 사람도 있다. 똑같이 상대방이 실수나 잘못을 한 상황에서도 어떤 사람은 우회적으로 돌려서 말하고, 어떤 사람은 직설적으로 비난의 말을 쏟아낸다.

문제 해결을 위한 말하기·듣기가 무엇인지 생각해 볼 문제이다.

토론 수업의 진행

새 학기가 되면 새 책을 받아들게 되고 그 책을 훑어보면서 토론에 적당한 단원을 찾는다. 학기별로 최소한 1회 정도는 토론을 경험해야 한다는 것이 나의 생각이다. 그리고 수행평가에도 토론 항목을 넣어서 학생들이 토론 경험을 해 보도록 하고 있다.

단원을 고르는 기준은 간단하다. 좋은 논제를 찾을 수 있는 단원이라야 하는 것이다. 이번에는 아예 '한 학기 한 권 읽기'와 토론을 연계하기로 했다. 전체 학생이 모두 수업 시간에 책을 읽고 토론을 진행하면 토론 내용에 대해 더 잘 이해할 수 있을 것이라고 생각해서이다.

『초콜릿 레볼루션』이라는 책을 읽고 '비만세를 신설해야 한다.'라는 주제의 토론을 진행했었다. 몇 해 전 서귀포시학생토론대회의 주제와 비슷한 면도 보였으며 우리에게 많은 생각을 던져 주는 논제였다. 비만을 유발하는 식품에 대해 별도의 세금을 매기는 것이 좋은가를 생각해 보는 시간이었다.

지금까지 내가 수업 시간에 진행한 토론 방식은 거의 3:3 디베이트 토론이었다. 토론의 가장 기본적인 방식이기도 하고 익숙하기도 해서 큰 고민 없이 이런 토론 방식으로 수업을 진행했다. 그런데 현대 토론이 질의와 응답 과정이 충분하게 보장되는 퍼블릭의 형태로 바뀌고 있고, 지금은 열린 토론이라는 용어를 사용하면서 디베이트에서 벗어나 토의까지를 토론에 아우르고 있다.

나 또한 3:3 디베이트 토론의 딱딱함에서 벗어나 조금 더 자유로운 분위기의 토론을 해 보고 싶은 마음이 컸다. 그러던 차에 만장일치 토론이라는 것을 알게 되었다. 내가 책에서도 읽어보지 못한 토론의 방식이라 너무 신선하게 느껴졌고, 학생들이 전원 참석할 수 있다는 점에서 수업의 효과도 클 것이란 생각이 들었다.

물론 토론의 방식이나 논제는 학생들이 찾아도 된다. 하지만 일반 교실의 학생들이 토론의 방식을 찾아서 건의하기는 어렵다. 일반적으로 토론이라고 하면 다들 어려워하는 실정이기도 하니까 말이다. 따라서 교사는 미리 토론의 방식을 정하고, 토론의 논제도 정해 놓아야 한다.

미리 정해도 된다. 하지만 교사가 정한다고 하더라도 학생들에게 미리 발표하지 말고, 학생들의 생각이 어떠한지 물어보면서 같이 고민하는 시간을 갖는 것이 좋다.

이번 토론은 학생들이 1학기 수업을 마무리하는 과정에서 독서와 연관하여 실시하기로 했다. 7월 3~5일에 시험을 치르고, 국어 교과서 진도도 마친 상태이다. 학생들은 3단원을 지난주에 마쳤다. 그래서 이 단원과 자연스럽게 연결할 수 있는, 소통하고 공감하는 주제의 토론을 하게 되었다. 토론 수업은 다음과 같이 진행되었다.

1) 단편 읽기

토론을 하려면 당연히 논제가 있어야 한다. 토론의 주제를 정해야 토론을 진행할 수 있는데, 이 주제를 갑자기 학생들에게 제시하기는 어렵다. 이 토론이 제시되는 상황이 있어야 하기 때문에, 이때에 책이 유용한 도구가 된다. 당연히 국어 수업에서는 독서를 기본으로 하고 장려해야 하기 때문에 독서와 토론의 두 마리 토끼를 잡을 수 있는 방법이기도 하다.

학생들은 이미 '한 학기 한 권 읽기'를 통해 장편 한 권을 읽은 상태이다. 장편은 여러 시간에 걸쳐 읽어야 했다. 긴 글이라 책을 선정할 때에도 '재미'라는 부분을 무시할 수 없었다. 재미도 있으면서 문제 상황도 있는 책으로 골랐다. 그럼에도 불구하고 책을 읽는 것을 힘들어하는 학생들이 있었다. 그래서 한 권 읽기가 끝나갈 무렵, 이번에는 짧은 글을 택했다.

이 책의 내용은 미래의 어느 시점에서 우리 지구를 찾아온 외계인과의 문제를 해결하는 것이다. 우리보다 훨씬 과학이 발달한 곳에서 온 외계인은 우리의 언어와 감정을 동시에 분석하여 의사소통이 가능하

다. 인간은 미래의 시점이지만 이들보다는 과학 수준이 떨어져서 전적으로 외계인에게 의존해서 소통해야 하는 상황이다.

호시 신이치의 「우호사절」이라는 단편을 읽으면 짧으면서도 탄탄한 구성에 감동받는다. 외계인의 지구 방문이라는 소재도 신선하다. 또한 속으로 생각하는 것이 중요한 것인지, 겉으로 표현하는 것이 중요한 것인지를 생각해보게 한다.

외계인의 우주선이 다가오자 지구인들은 우선 환영위원회를 마련하여 맞이하기로 한다. 환영식 날, 외계인들은 당황한다. 그들은 지구인의 언어 판독기와 정신 판독기를 가지고 지구인들의 태도를 알아낸 것이다. 그들은 지구인의 신경이 거꾸로 되어 있어서 나쁘게 말하면 좋은 말로 알아들을 것이라는 결론을 내린다. 외계인은 우호에 가득 찬 진심 어린 마음으로, 지구인을 향해 낭랑한 목소리로 메시지를 낭독했다.

> "이놈들아, 이렇게 찾아와서 유감이다. 이 너저분한 원숭이 같은 놈들. 잘 나지도 않은 상판대기를 하고 나란히 서 있는 네놈들 꼴도 보기 싫다. 이놈 저놈 가리지 말고 죄다 냉큼 죽어 버려라!"
>
> - 호시 신이치, 「우호사절」 중에서 (전국국어교사모임 엮음, 『국어시간에 세계단편소설 읽기 1』, 나라말, 2009)

2) 질문하며 문제 상황 찾기

책을 읽는다는 것은 글을 쓴 사람과 대화를 나누는 일이다. 우리가 말을 할 때에 어떠한 의도가 있는 것처럼 작가가 글을 쓸 때에는 나타내고 싶은 어떤 생각이 있다. 우리가 책을 읽는 과정에서 꼭 해야 하는 일이 바로 그 생각인 '주제'를 찾아내는 것이다.

이 책에서는 지구의 존망을 결정하는 큰 사건이 발생한다. 외계인들은 기계처럼 생각과 느낌을 언어와 일치시키면서 말을 하는데, 우리는 생각과 느낌을 일치시키지 못할 때가 있는 것이다. 우호사절단원 개인의 문제가 아니다. 영화의 특수요원처럼 감정을 통제하고 드러내지 않는 훈련을 받지 않고서야 어떻게 개인의 감정까지 조절할 수 있단 말인가?

따라서 외계인을 공손하게 친절하게 환대해야 할 우호사절단이 그만 속마음을 들켜 버린 것이다. 이것을 외계인들이 감정을 읽는 기계를 통해 알아차리고, 또 그들은 인간들은 생각이나 감정과는 거꾸로 말을 한다는 것으로 해석한다. 마지막 장면의 대사를 들으면 이제 지구가 멸망할지도 모른다는 생각이 든다.

이 장면에서는 우리가 아는 「청개구리의 울음」이 생각났다. 아들 청개구리가 늘 자신의 말과는 반대로 행동하기 때문에 그것을 기대해서 자신이 죽으면 냇가에 묻어 달라고 한 엄마 개구리가 떠오른 것이다.

학생들은 좋은 질문을 단번에 찾아내기가 힘들다. 꾸준히 질문을 만드는 연습을 하다 보면 쓸모 있는 좋은 질문을 찾아내게 되는 것이다. 그래서 처음 질문을 만들 때는 양으로 승부하는 것이 좋다. 대체로 질문을 10개 정도 만들어 보도록 한다. 그런 다음에 그 질문들 중에서 좋은 질문을 골라내는 활동을 하는 것이다.

내가 생각해 낸 좋은 질문거리들을 나열해 보자. (교사는 미리 좋은 질문을 만들어 놓는 것이 좋다.)

① 감정과 언어는 같아야 할까?
② 감정과 언어 중 어느 것이 그 사람의 생각일까?
③ 감정과 언어 중 우리는 어느 것에 치중하여 말해야 하는가?

3) 질문하며 대답 찾기

우리가 가만히 있으면 어떻게 될까? 전쟁이 일어날까? 마지막 상황에서 우리 인간들이 할 수 있는 일은 무엇일까?

앞에서 만들어낸 질문들에 대한 답을 정리해 보아야 한다. 앞에서의 질문은 책을 쓴 작가와의 대화이고, 자기 자신에게 하는 질문이라면 이번의 질문은 친구에게 하는 질문이다. 교사는 학생들에게 질문을 하고, 학생들이 대답을 하는 것이다. 그런 다음에 교사의 생각도 같이 말해 준다.

① 감정과 언어는 같아야 할까?

인간이 감정을 통제할 수 없고, 또한 사회 문화에 따라 감정은 달라지므로 감정을 그대로 언어로 표현하는 것은 좋지 않다. 같이 표현하지 않더라도 우리는 굳이 그 사람을 위선자라고 비난할 수 없을 것이다.

② 감정과 언어 중 어느 것이 그 사람의 생각일까?

우리는 당연히 그 사람의 언어가 그 사람의 생각이라고 믿어야 한다. 감정이라는 것은 즉흥적이면서 체계적이지 못하다. 순간적인 느낌으로 그 사람을 판단하는 것은 무리가 있다.

③ 감정과 언어 중 우리는 어느 것에 치중하여 말해야 하는가?

우리는 당연히 언어에 관심을 기울여야 한다. 감정이 가는 대로 말한다는 것은 아침저녁으로 사람이 달라져야 한다는 것이다. 따라서 우리는 감정을 통제하거나 정리하여 말로 표현해야 하고, 또한 말을 가지고 그 사람을 평가해야 한다.

4) 해결책 찾기

책을 읽어보면, 지구는 과학 기술이 앞선 외계인에 의해 멸망할지도 모른다. 우리가 모두 지구를 지키는 특공대가 되어야 하는데, 무기를 가시고 싸울 수는 없다. 이미 그들이 우리보다 훨씬 앞서 있으므로. 그렇다면 우리가 할 수 있는 일들은 무엇인지 찾아보자.

지구의 멸망을 막기 위해 할 수 있는 여러 가지 대책들을 생각해서 교사가 미리 학습지를 만든다. 그리고 한두 칸은 빈칸으로 해서 학생들이 대책을 내놓을 수 있도록 한다. 미처 선생님이 찾지 못한 기발한 대책을 생각해내기를 바라면서 말이다.

문제 상황에 비추어 이런 정도의 해결책을 만들어 보았다.

① 감정통제가 되는 우호사절단을 다시 보낸다.
② 감정을 읽는 기계를 만들어 외계인의 감정을 읽는다.
③ 감정을 감춰주는 방패옷을 개발하여 입는다.
④ AI(인공지능) 우호사절단을 보낸다.
⑤ 외계인을 비난하는 반박성명문을 발표한다.
⑥ 용서를 해 달라는 성명문을 발표한다.

학생들은 각각 왜 그렇게 해야 하는지를 이유와 근거를 들어 글로 써보면서 합리적인 문제해결 방법을 찾는다.

그리고 모범답안은 선생님이 미리 정할 수도 있고, 학생들이 토의를 거치면서 정해도 된다. 그리고 내가 정한 답안의 순위와 모범답안의 순위의 격차가 클수록 내가 문제를 잘못 해결하고 있다는 뜻이 된다. 더 합리적인 해결 방법을 찾는 연습이 필요한 것이다.

5) 토론 평가하기

전체 활동이 끝나면 교사는 학생들이 이번 활동을 통해서 어떤 경험을 했는지를 되돌아볼 수 있는 피드백의 시간을 마련해야 한다.

우선 참가 학생들의 이야기를 통해 학생들의 토론 성장을 살펴보면 좋다. 이 토론은 대립 토론이 아니므로, 학생들에게 협력의 경험을 심어주는 것에 초점을 맞추어야 한다. 학생들도 이런 토론을 통해서 어떤 점이 좋고, 어떤 점이 부족했는지 스스로 돌아보면서 성찰할 수 있다. 그리고 이런 과정을 통해 학생들은 자유로운 토의·토론에 더 적극적으로 참여하려는 의지를 키울 수 있다.

교사도 학생 개개인에 대한 비평보다는 전체 학생들의 참여 정도와 문제를 해결하려는 과정 자체를 높이 평가해 주어야 한다. 잘잘못을 따지는 것은 토론을 시작해보려는 학생들의 의욕을 꺾어버릴 수 있다. 학생들은 자신의 의견이 하찮은 것이라는 생각을 하면 입을 닫아버릴 수 있다. 실수를 하더라도 그것을 통해 더 많이 배울 수 있도록 격려하는 자세가 필요하다.

다. 토론 수업의 실제

공개수업지도안

대상	2학년 4반		수업자	김정자
교과	국어	단원	3. 담화와 의사소통	일시	2019. 7. 12. 5교시
주제	토의 토론을 통한 문제해결 자세 익히기			
성취 기준	[9국01-04] 토의에서 의견을 교환하여 합리적으로 문제를 해결한다. [9국01-02] 상대의 감정에 공감하며 적절하게 반응하는 대화를 나눈다.			
단원 구성	1차시: 담화의 개념과 특성 2차시: 담화의 맥락 3-4차시: 소통과 공감 **5차시(본 차시): 토의 토론을 통한 문제해결 자세 익히기(만장일치 토론)** 6차시: 토의 토론을 통한 문제해결 자세 익히기(찬반 자유토론)			
수업의 흐름	예시된 단편자료 읽기 만장일치 학습지 개인별 순위 매기기 만장일치 활동지 모둠별 순위 매기기(설득과 협의) 전체 순위 확인하며 대중의 의견 알기 오차를 확인하며 나의 성향 파악하기			
수업관	토의 토론 참여자의 중요한 태도는 협력과 경청으로 문제를 해결하려는 자세이다. 본 수업을 통하여 토의 토론 시 해결책을 알고 있음에도 불구하고 침묵하고 있거나, 설득력 없는 그릇된 주장을 큰 목소리로 강요하는 태도가 잘못됐음을 깨달을 수 있길 바란다. 더 나아가 경청과 협력이 바람직한 공동체의 집단적 사고의 방법임을 깨달아 올바른 민주시민으로서의 모습을 갖췄으면 한다.			

국어 활동지	제목	3. 담화와 의사소통 - 토의토론하기		모둠		확인	
	2학년 ( )반 ( )번 ( )		날짜				

질문하며 답 찾기

질문	질문의 이유
①	
②	
③	
④	
⑤	
⑥	
⑦	
⑧	
⑨	
⑩	

좋은 질문 찾기

각 모둠에서 좋은 질문을 하나씩 선정하여 칠판에 적어주세요. 좋은 질문이라고 생각한 이유를 발표해 주세요. 이 중에서 3가지를 골라 답을 찾는 활동을 합니다.

질문	질문의 이유
①	
②	
③	

좋은 질문에 답 찾기

①	( )	
	( )	
	( )	
	( )	
②	( )	
	( )	
	( )	
	( )	
③	( )	
	( )	
	( )	
	( )	

오늘 찾은 답(깨달음, 삶의 철학 등)

국어 활동지	제목	3. 담화와 의사소통 - 토의토론하기	모둠	확인
	2학년 ( )반 ( )번 ( )		날짜	

만장일치 학습지

외계인과 평화로운 관계를 유지하면서 지구의 평화를 지키기 위한 방법을 같이 찾아봅시다. 이제 우리는 외계인이 발표한 성명에 대해 해답을 제시해야 합니다. 주어진 시간 안에 해결 방안을 정해서 외계인을 향해 우리의 주장을 알려야 합니다. 지구인이 취할 수 있는 일들을 찾아 순서를 매겨 봅시다. 여러분, 위기에 빠진 지구를 구해주세요.

구분 항목	이유와 근거	개인		모둠		전체 순위
		순위	오차	순위	오차	
감정통제가 되는 우호사절단						
감정을 읽는 기계						
감정을 감춰주는 방패옷						
AI(인공지능) 우호사절단						
외계인을 비난하는 반박성명문						
용서를 해 달라는 성명문						
오차 총계						

맺음말

토론은 직접 주장하는 토론자 학생뿐만 아니라 지켜보는 판정관 학생까지 성장시켜주는 좋은 학습의 방법이라는 것을 늘 느낀다. 논리적으로 주장하는 학생도, 판단하며 듣는 학생도 자신의 생각을 정리하는 과정을 통해 성장하고 있음을 스스로도 느낀다.

그동안 토의와 토론을 구분하면서 토론은 말을 잘하는 아이들의 전유물이라고 여겼을 학생들에게 다 함께 참여하는 즐거운 토론의 경험을 주고 싶은 마음이다. 토론을 하는 학생들과 그 토론을 판정하는 학생들 모두가 수업에 몰입하며 학습하는 경험을 한다는 점에서 토론 수업은 바람직한 수업의 한 형태임에 틀림없다. 하지만 대립 토론에서는 승패에 연연하지 않을 수가 없어서 토론에 쉽게 접근하지 못했던 아이들에게 만장일치 토론은 마치 즐거운 놀이와 같은 경험을 준다고 생각한다.

이제 토의와 토론은 우리 생활 속 문제를 해결하는 즐거운 방법이라는 것을 알고 더 토론과 친숙해졌기를 희망한다. 딱딱하지 않게 다양한 의견을 내놓고, 그 속에서 가장 좋은 방법을 함께 찾아가는 것, 토론은 협력이라는 것을 학생들이 알고 실천하기를 바란다.

이 토론 수업은 마지막 부분으로 갈수록 재미가 있었다. 모든 학생들이 자신의 생각과 남의 생각이 같은지 다른지에 큰 관심을 보였다. 학생들은 자신의 오차가 얼마인지를 계산하면서 오차가 작은지 큰지에 관심이 많았다.

개인의 오차는 개인 순위와 모둠 순위의 차이를 말하고, 모둠의 오차는 모둠 순위와 전체 순위의 차이를 말하는 것이다. 그리고 개인의 오차가 적을수록 모둠원 전체의 생각에 가까운 것이고, 모둠 오차가 적

을수록 전체 모둠의 생각에 가까운 것이다.

이때는 교사의 안내가 크게 작용한다. 오차가 작은 학생은 사회의 리더가 될 수 있는 사람이라고, 대중적인 바람을 가장 잘 찾아낸다고 칭찬을 하고, 오차가 큰 학생에게는 가장 독창적인 방법으로 문제를 바라보는 사람이라고 긍정적인 말을 해 준다. 우리 모두의 생각은 다를 수 있고, 또 각각 존중받아야 하니까.

이제 당분간은 만장일치 형식의 토론을 더 전개해 보려고 한다. 토론은 시대에 따라 다양한 형식으로 변화해가는 것이고, 또 교실에서 수업을 전개할 때에는 교사가 창의적으로 바꾸어서 적용하면 될 것이다.

인물 변호하기
『하늘은 맑건만』

나는 학생들이 글의 내용을 제대로, 소설의 줄거리를 제대로 이해하기를 바란다. 그런데 내가 잘 요약해서 칠판에 적어 주면 학생들은 글의 내용을 제대로 요약하지 못한다. 왜냐하면 글을 덜 읽기 때문이다.

그래서 줄거리를 학생들이 직접 요약해 보도록 한다. 교과서를 학습할 때에 나는 학습지를 제공하는 것을 꺼린다. 왜냐하면 교과서에 충분히 기록할 만한 공간이 있고, 충분한 질문들이 제시되어 있기 때문이다.

또한 학생들이 학습지를 관리하는 것을 보면, 학습지가 너무 많다는 느낌이 들기도 한다. 뭐라고 할까? 학습지가 가방에서 탈출한다고나 할까. 교실에서 바닥에 떨어진 종이들의 대부분은 학습지일 것이다. 그래서 나는 가끔 토론 관련 수업을 할 때에만 학습지를 제작한다.

학습지를 만들 때는 크기를 조절한다. A4용지로 제작하는데 여백을 조절해서 교과서 크기보다 조금 작게 만든다. 그런 다음 학습지를 인쇄하고, 여백을 교과서 크기에 맞춰 자른 후, 학생들에게 나눠준다. 학생들은 그 학습지를 교과서에 붙인다. 세로의 한 면에 풀을 바르고 한 면만 붙이면 교과서의 다른 페이지들처럼 넘기면서 학습이 가능하다.

소설이기 때문에 먼저 학생들이 줄거리를 파악하게 한다. 『하늘은 맑건만』이라는 소설은 '양심'의 문제와 학교 폭력의 문제 등과 결부시켜 생각할 수 있는 좋은 글이다. 나는 학습지에 줄거리 요약을 하게 한다. 당연히 학생들은 여러 번 읽으면서 내용을 추려야 한다.

내용을 요약하고 나면 그다음이 질문 만들기 단계이다. 이 과정은 앞에서 소개한 방법들과 같다. 질문을 다양하게 많이 만든 다음에 좋은 질문을 골라내어 그 질문들을 가지고 질의응답의 시간을 갖는 것이다. 여기서는 조금 다르게 접근해보고 싶었다. 질문을 만들고 질의응답을 하는 방법도 좋은데, 소설인 만큼 글의 흐름과 같이 등장인물의 행동, 즉 선택의 문제를 더 알아보고 싶었다.

이 소설의 배경이 1930년대인데, 그때도 여전히 친구 사이의 문제가 존재하고 학교 폭력이 존재했다는 것을 알 수 있다. 지금도 어느 곳에선가 이 소설의 주인공과 같은 상황의 학생들이 존재한다. 지금 내가 수업을 하는 교실에서도 이와 비슷한 상황이 있을 수도 있다.

만약 나의 학생들이 이런 상황에 빠져 있다면, 학생들의 친구가 이런 상황에 빠져 있다면 우리는 어떻게 해야 할까? 나는 이 소설의 학습을 통해 학생들이 어떻게 행동하는 것이 더 좋은지에 대해 생각해 보기를 바라는 마음이다. 매 순간마다 어떠한 선택을 할 수 있는지, 그리고 어떤 선택이 가장 좋은 선택이 될 수 있는지를 생각해 보기를 바란다.

국어 활동지	제목	4. 더불어 살아가기 『하늘은 맑건만』	모둠		확인	
	1학년 ( )반 ( )번 ( )		날짜			

1. 선택의 순간- 만약 이랬더라면

이 소설을 읽으면 주인공 문기의 상황이 너무 안타깝게 느껴집니다. 그러면서 '문기야, 너 왜 그러니?'라는 말을 해주고 싶기도 합니다. 우리 모두 주인공 문기의 행동을 살펴보면서 '만약 문기가 이렇게 했더라면 어땠을까?'에 대해 생각해봅시다.

(1) 거스름돈을 잘못 받았다고 느꼈을 때

　① 한 행동 -

　② 만약에 -

(2) 삼촌에게 축구공과 망원경을 들켰을 때

　① 한 행동 -

　② 만약에 -

(3) 삼촌의 꾸중을 듣고 뉘우치고 나서

　① 한 행동 -

　② 만약에 -

(4) 수만이가 돈을 내놓으라고 협박을 할 때

　① 한 행동 -

　② 만약에 -

(5) 점순이가 누명을 쓰고 울고 있을 때

　① 한 행동 -

　② 만약에 -

2. 우리는 어떤 선택을 해야 할까?

소설은 우리가 살아가는 이야기이고, 나는 내 소설의 주인공입니다. 나는 어떤 선택을 하면서 살아가야 할까요? 내 선택의 원칙을 정해 봅시다.

소설 속의 인물을 변호하는 글을 작성하고 있다. 학생들은 자연스럽게 대화를 나누면서 인물의 잘 잘못을 가리며 변호하는 내용을 써내려간다.

어떤 선택을 하는 것이 우리 또는 자기 자신을 위해 가장 좋은 결과를 가져올지 생각해 본 다음, 등장인물 2명 중 한 명을 선택해서 변호하는 활동을 하기로 했다. 물론 뒤의 상황을 가정해서 해야 한다.

어느 사회든 다양한 성격의 사람들이 있고, 다양한 선택을 한다. 간혹 잘못된 선택을 하는 사람들도 있다. 이 경우에, 잘못된 선택을 한 사람을 어떻게 대하는 것이 좋은지에 대해 생각해 보는 활동을 하는 것이다. 어차피 그들도 우리 사회의 구성원이고, 우리가 포용해야 할 이웃이다.

등장인물을 변호하는 글을 쓰고, 어떤 조치를 취하는 것이 좋은지를 글로 써서 발표하는 시간이었다. 맨 먼저 시작한 반에서 보니, 두 인물에 대한 조치가 너무 약한 듯이 보였다.

※ 뒷이야기를 가정하여 학습활동을 해 봅시다.

<뒷이야기>
이 일이 있은 후, 문기 삼촌은 문기가 학교 폭력의 피해자라면서 수만이를 고소하게 됩니다. 그래서 이것이 학교 폭력에 해당하는지 잘잘못을 가리게 됩니다. 여러분은 두 아이 중에, 한 명을 택해 변호를 해야 합니다. 이제 교실 법정이 열립니다.

나는 (수만이)(을,를) 변호하겠습니다.

수만이는 문기에게 거스름돈을 잘못 받았다는 얘기를 듣고 문기와 함께 그 돈으로 공,쌍안경, 만년필, 만화책을 사고 활동사진도 구경했습니다. 그리고 문기와 조그만 환등기계 한 틀을 사기로 약속했습니다. 하지만 문기는 물건들을 다 버리고 남은 돈을 고깃집 안마당에 던져버렸다고 했습니다. 이 사실을 믿지 못한 수만이는 문기에게 돈을 얼른 달라고 재촉한 것이 사실입니다. 그러나 수만이가 이 사실을 어떻게 믿을 수 있었을까요? 문기에 대한 배신감과 소외감으로 믿기 어려웠을 것입니다. 자신이 보는 앞에서 물건을 버린 것도 아니지 않습니까. 수만이에게는 그저 문기가 그 돈을 자기 혼자 쓰려는 계획이라고 밖에 생각하지 못했을 것입니다. 그리고 이 사건의 원인제공자는 문기 입니다. 처음부터 문기가 상식적으로 행동했다면 없었을 일이고 돈으로 수만이를 자극한 것 역시 문기입니다. 아직 어린 수만이는 그 돈을 보고 견물생심으로 실수를 한 것입니다.

나는 (수만이)에게 다음과 같은 처벌을 내려주기를 청합니다.

일단 문기에게 진심 어린 사과를 하게 하고 학교봉사 10시간, 사회봉사 10시간을 하게 하여 문기와 학급을 분리하여 주십시오. 강제전학까지는 조치하지 말아주시길 바랍니다.

우리들이 바라는 처벌(문기)	우리들이 바라는 처벌(수만)
봉사: 10시간, 10시간, 5시간, 5시간, 6시간, 5시간, 5시간, 5시간, 15시간, 72시간, 30시간.	봉사: 5시간, 72시간, 5시간, 10시간, 12시간, 10시간, 10시간, 10시간, 10시간, 10시간, 5시간,
학급교체, 점순이 & 고깃집 사과, 깡깡이 손해 배상, 벌금 50만원.	10시간. 반성문: 10장, 1장, 5장.
	서면 사과, 사죄.

구체적인 이유를 들어 주장을 내세워야 합니다. 내가 변호하는 아이의 상대방이 어떤 잘못을 했는지를 밝히고, 내가 변호하는 아이가 잘못이 없거나, 또는 잘못이 크지 않다는 것을 증명하여 구해주시기를 바랍니다. 그리고 변호한 아이에 대한 합당한 조치를 청하기를 바랍니다.

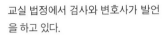
교실 법정에서 검사와 변호사가 발언을 하고 있다.

그래서 학생부장님에게 부탁을 해서 학교 폭력에 대한 조치사항에는 어떤 것들이 있는지 물었더니, 가해 학생과 피해 학생에 대한 조치사항이 담긴 간단한 파일을 받을 수 있었다. 다른 반 수업에서 그 파일을 보여준 다음에 발표를 하게 했더니, 확실히 처벌을 청하는 부분에서 더 명확하게 표현을 한다.

학생들이 제각각 다른 방식으로 변호를 하고, 처벌을 내리기를 청하고 있는데, 처벌 부분만 정리를 하면 그 학급의 학생들이 어떤 방식으로 피해자나 가해자를 바라보고 있는지를 알 수 있을 것이다.

여기까지 해서 수업을 마무리할 수도 있는데, 나는 학생들이 정말로 법정과 같은 느낌을 경험하기를 바라는 마음에서 다음 차시까지로 연장했다. 학생들이 각각 변호하는 것을 듣고 메모(내 경우에는 ◎, ○, △, /의 부호로 학생들의 발표 수준을 구분하여 표시한다.)를 한 다음에 각 측에서 변호와 처벌에 대한 주장을 잘한 학생을 두 명씩 정했다. 그래서 그 학생들

이 각각 한 명은 상대를 고소하는 검사 역할을 하고, 한 명은 자기 측의 피고를 변호하는 변호사 역할을 하도록 했다. 나머지 학생들은 판사의 역할을 같이 하도록 했다.

학급마다 검사나 변호사 역할의 발언이 다양했다. 간혹 엉뚱하게 말하는 학생도 있었고, 미리 메모를 안 하고 발표를 하려다 보니 당황하는 학생들도 있었다. 어느 반은 검사가 내린 처벌보다 변호사가 내린 처벌이 더 강한 경우도 있어서, 다른 학생들이 '변호사가 역할을 잘 하라.'라는 핀잔을 주기도 했다.

국어B 활동지	4. 더불어 살아가기		스스로 평가	
	6월 15일(화)	학습자		

	문기 측	수만 측
검사 의견	1. 절도죄 / 돈을 받았는데 돌려주기x 2. 폭력방관죄 (누명 쓴 점순이) 3. 꼬드긴 죄 / 수만이에게 잘못받은 돈이 있다는 걸을 알림	1. 수만이는 문기에게 범죄요도 2. 협박, 심리적 압박, 폭력 등을 가했다.
변호사 의견	1. 점순이 일은 우리의 일과 관련이 없다. 2. 수만이가 유혹한 것이다. 3. 수만이가 협박을 하지 말았어야 했다.	1. 수락한 문기에게도 잘못이 있다. 2. 그대만 때렸다. 3. 문기가 상의 없이 돈을 버렸기에 수만이가 화난 것이다.
보호자 의견	소심한 문기도 어쩔 수 없었을 것입니다. 용서해주세요.	아직 나이도 어리고 철 없을 나이기 때문에 한번만 용서해주세요.
판사(우리들) 최종 판결	문기 심리치료 피해를 당한 점순이에게 서면사과 점순이가 이웃집에 머물 수 있도록 조치	교내봉사 10시간 문기에게 서면사과 문기는 아직 두려워 하기 때문에 학급교체
활동 소감	국어 B시간을 통해 새로운 경험을 또 하게 되어서 좋았고 새로운 것은 늘 특별한 것 같다. 재미있었던 시간이였고 다음에는 나도 변호사나 검사 역할을 해보고 싶다.	

04

질문하고 토론하고
『낱말 공장 나라』

그림책의 매력

토론을 처음 배우던 때에는 그림책이 토론에 활용될 것이라고는 쉽게 생각하지 못했다. 토론은 무언인가 어려운, 나와는 거리가 먼 일이라고 생각했던 시절이었으므로. 그래서 사실 처음에는 토론에 활용할 책들을 찾느라고 학교 도서관을 뒤져보기도 했다.

그런데 교사 토론 아카데미에서 그림책 토론 방법을 배웠는데 너무 쉽고 재미있다고 느껴졌다. 그때 우리가 처음으로 토론거리를 찾아본 책은 앤서니 브라운의『돼지책』이었다. 내가 무심코 읽었던 책인데 토론을 하기 위해 다시 읽으니, '엄마'라는 존재의 무게감이 느껴졌다.

그림책은 무한한 매력을 가지고 있다. 일단 누구나 쉽게 책을 펼 수 있게 만든다. 글자만으로 된 책은 우선 무거운 느낌이 들고, 어려울 것이라는 선입견이 있어서 조금 멀리하려는 아이들도 있는데, 그림책은 '그림'이라는 강력한 무기가 있어서 우리를 쉽게 끌어들인다.

우선 글과 그림을 분리해도 된다. 나는 국어과 교사라서 그런지 글을 먼저 읽는다. 그런데 글만 읽었을 때보다 그림을 같이 보면 글자의 뜻이 더 명확하게 느껴진다. 엄마의 무표정한 모습에서 집안일의 힘듦이 느껴지고, 배경색의 어두움에서 현실의 답답함이 느껴진다.

『돼지책』이후로 나는 그림책을 즐겨 찾아보게 되었다. 다행히 당시 우리 집은 서귀포 기적의 도서관 근처였다. 그래서 나는 막내를 데리고 주말마다 기적의 도서관에 출근하다시피 했다. 아마 나와 막내가 서귀포 기적의 도서관의 최대 수혜자였을지도 모르겠다. 아이들을 위한 도서관이니 당연히 그림책이 많이 비치되어 있다. 다양한 그림책들을 보면서 토론에서 활용할 만한 것들이 무엇이 있을지 찾아보곤 했다.

지금도 독서 캠프를 진행할 때가 되면, 나는 한 권의 그림책을 찾는다. 이번에는 어떤 내용의 그림책으로 할 것인지를 고민하는 것이다. 새로우면서도 생각할 거리가 많은, 게다가 재미까지 있다면 금상첨화다. 일단 그림책을 정하고 나면 독서 캠프의 다음 일정들은 쉽게 짜인다. 그리고 주제를 정해 두세 권의 책을 묶으면 더 좋다. 예를 들면 주제를 '늑대'로 했다면, 『이솝우화』 늑대 이야기와 그림책 『팬티 입은 늑대』, 동화 『아기 돼지 3형제』 등의 친숙한 책들을 묶을 수 있다. '똥'이 주제라면 「똥지게」라는 시와 『내 친구 똥퍼』라는 그림책을 같이 묶어서 활동하면 재미있을 것이다.

질문하며 생각 넓히기

지금은 학교에서 수업 시간에 활용하기 위해 그림책을 찾는다. 교과서의 내용과 관련 있는 부분을 찾으려고 노력하는 편이다. 그리고 대부분 질문하기 과정을 거치고 토론 주제를 찾아낸 후, 찬반 토론을 하고

있다.

우리 학교 1학년 교과서에 '3. 바람직한 언어생활'이라는 단원이 있다. 그래서 나는 학생들의 '어휘'에 관한 생각을 일깨워줄 수 있는 책들을 인터넷으로 검색해보았다. 학생들이 책을 읽고 토론을 하려면, 모든 학생들이 그 책을 읽어야 하는데, 학생들은 전문적인 독서 집단이 아니다. 따라서 학급 토론을 위한 쉬운 책, 즉 그림책에 관심이 갔다.

인터넷에서 '어휘'와 '어휘의 소중함'과 관련이 있는 책 2권을 골랐다. 피터 레이놀즈의 『단어수집가』와 아녜스 드 레스트라드의 『낱말 공장 나라』라는 책이다. 읽어보니 토론하기에 적합하다는 생각이 들었다.

국어 활동지	제목	3. 바람직한 언어생활 - 토의토론하기		확인
	1학년 ( )반 ( )번 ( )		날짜	

1. 질문 만들기

그림책을 읽고 질문을 만들어 봅시다. 질문이 있어야만 해답을 찾을 수 있습니다. 질문을 만든다는 것은 자기주도적으로 학습활동을 한다는 뜻입니다.

질문	질문의 이유
①	
②	
③	
④	
⑤	
⑥	
⑦	
⑧	
⑨	
⑩	

2. 좋은 질문 찾기

자신이 만든 질문을 칠판에 적어주세요. 이 중에서 3가지를 골라 볼 것입니다. 좋은 질문을 던져야 유익한 학습활동이 됩니다.

질문	좋은 이유
①	
②	
③	

3. 좋은 질문에 답 찾기

위의 질문에 대한 나와 우리의 답변을 정리해봅시다.

①	(나)	
	(우리)	
②	(나)	
	(우리)	
③	(나)	
	(우리)	

학생들이 그림책의 내용을 숙지하고 나면 질문 만들기에서 각자 10개의 질문을 만든다. 교사는 돌아다니면서 어떤 질문을 만들고 있는지 확인하며 질문 만들기가 힘든 아이들을 개별적으로 지도한다. 그리고 어떻게 하면 좋은 질문을 만들 수 있는지 예를 들어준다.

만약에 선생님이 핸드폰도 없고 다른 오락거리가 하나도 없는 장소에서 찢어진 책장 한 장만 있다고 해 봅시다. 맨 앞쪽 페이지를 주었어요. '사람들이 거의 말을 하지 않는 나라가 있었어요. 그곳은 바로 거대한 낱말 공장 나라였어요.'라는 글자만 있는 종이입니다. 그럼 이 부분을 보면서 선생님은 곰곰이 생각할 테지요.

좋은 질문 찾기에서는 교사가 돌아다니면서 아이들이 만든 질문을 살펴본다. 질문 만들기가 어려운 아이에게는 도움을 주고, 좋은 질문을 만든 아이에게는 그 질문을 칠판에 나가서 써보도록 한다. 좋은 질문, 다르게 바꿀 수 있는 질문, 좋지 않은 질문으로 유형화할 수 있는 다양한 질문들이 칠판에 적힌다.

이렇게 적힌 질문들 중에서 좋은 질문, 생각거리가 될 수 있는 질문을 세 개 선정한다. 그리고 학생들에게 쓰도록 한다.

좋은 질문에 답 찾기에서는 코로나 상황에서 하는 활동이라 모둠별 자리 배치나 활동을 할 수 없었다. 그래서 우선 자신의 생각을 적어보라고 했다. 그리고 어느 한 줄의 학생들에게 발표하라고 해서 그 내용들을 칠판에 적은 다음, 우리들의 공통적인 대답을 적도록 했다.

이런 과정을 통해 책의 내용은 아주 풍성해지고, 비로소 독서의 목적, 독자들끼리의 소통이 완성되어간다.

이 과정을 통해 우리가 얻은 질문들은 다양했다. 나는 학생들이 질문을 만들 때, 혹은 그 이전에 미리 가능한 질문들을 만들어 보는데, 가끔은 학생들의 독창적인 질문을 보고 감동하기도 한다. 우리가 만들었던 질문들이다.

② 우리도 돈을 주고 낱말들을 사야만 말을 할 수 있다면 우리는 어떻게 할까?

③ 낱말 공장의 말들은 누가 만들까?

④ 만약 사람들이 말을 사지 않는다면 말들은 어떻게 될까?

⑤ 싼 말과 비싼 말의 기준은 무엇일까?

⑥ 어떤 낱말들이 할인되어서 팔릴까?

⑦ 누가 낱말들을 공중에 떠돌아다니게 할까?

⑧ 말 이외에 의사소통에서 중요한 것은 무엇일까?

⑨ 시벨은 왜 오스카를 선택하지 않았을까?

⑩ 이 나라에서 학교 교육은 어떻게 이루어질까?

어느 학급에서 놀랄 만한 독창적인 질문이 나왔다.

'이 나라에서 작가들은 어떻게 책을 만들까?'

내가 질문 만들기 시간에 가장 행복한 순간이다. 독창적인 아이들의 질문을 마주할 때면 아이들의 생각이 자라고 있다는 느낌이 들어서 좋다.

'와, 너희들이 선생님보다 훨씬 뛰어나네!'

토론하며 언어 사용
돌아보기

좋은 질문 3개를 정해서 대답을 듣고 내용을 정리하다 보면 토론거리가 만들어진다. 어려운 논제 찾기 과정이 끝난 것이다.

우리는 언어가 돈을 주고 사야 할 만큼 중요한 것이고, 싼 언어와 비싼 언어에 대해서도 의견을 주고받았다. 그러면 우리는 어떻게 언어를 대해야 하고, 어떤 언어를 사용해야 하는지 알게 된다. 그렇다면 비속어는 싼 언어일까, 비싼 언어일까에 대해 생각이 미치는 것이다.

그래서 우리는 학교에서의 비속어 사용 문제에 대해 토론하기로 했다. 당연히 입론을 해야 한다. 문제 상황을 말하고 개념을 정의한 후에 이유를 제시한다.

우선 이유를 생각나는 대로 모두 써보도록 한다. 그다음 그중에서 묶을 수 있는 것은 묶고, 덜 중요한 것은 빼서 세 가지를 정한다.

수업을 하면서 학생들과 같이 활동한 것들이다. '비속어를 규제해야 하는 이유를 생각나는 대로 말해보세요.' 했을 때, 학생들이 대답한 것들을 칠판에 적거나, 아니면 학생들이 나와서 칠판에 적어보도록 한다. 학생들이 적은 것을 보면 대체로 핵심적인 내용들을 잘 파악하고 있는 것 같다.

학생들이 적은 것을 보면서 모자란 부분이 있으면 질문을 하면서 생각을 더 하게 한다.

"너희들은 교실에 왜 앉아 있니?"

"너희들은 어떤 경우에 공부하기가 싫어지니?"

"엄마들은 고3생 자녀를 어떻게 대하니?"

이렇게 해서 이 학급에서 나오지 않은 하나의 이유를 찾아낸다. 공부를 하려고 교실에 앉아 있는데, 화가 나면 공부를 못 한다. 비속어를 들으면 화가 난다고. 주장의 이유가 하나씩 연결이 되는 것이다.

이 3개의 이유를 뽑아내려면 모든 이유들을 위에서처럼 나열해보는 것이 좋다. 그다음에는 비슷한 것끼리는 묶고, 분리할 수 있는 것은 분리한다. 나는 다시 묻는다. 그러면서 위에서 말한 여러 가지 이유들을 묶는다. 중심문장으로 짧게.

1. 남에게 피해를 준다.

2. 바른 언어 습관을 갖게 한다.

3. 학습효과를 떨어뜨린다.

이제는 내가 말하면서 시범을 보여준다.

"요즘 교실에서 비속어를 사용하는 학생들이 있어서 시끄럽기도 하고, 싸움이 일어나기도 해서 다른 학생들이 불만을 호소하는 경우가 있습니다. 이제 우리는 교실에서 비속어를 사용하는 문제에 대해 생각해 보아야 합니다. 저는 '교실에서 비속어 사용을 규제해야 한다.'라는 논제에 찬성합니다. 여기에서 '비속어'는 '듣는 이의 기분을 상하게 하는 천한 말'이고, '규제'는 '하지 못하도록 제재를 가하는 것'입니다.

교실에서 학생들의 비속어 사용을 규제해야 하는 이유는 첫째, 남에게 피해를 주기 때문입니다. 남에게 피해를 준 사람은 당연히 합당한 처벌, 규제를 받아야 합니다. 물리적인 폭력으로 피해를 입히면 가해자가 당연히 피해자의 치료비를 대고, 다른 처벌을 받습니다. 언어폭력은 심각한 정신적인 피해를 입힙니다. 우울증, 대인기피증, 심한 경우 자살 충동까지 느끼게 합니다. 오히려 물리적인 폭력보다도 더 심각하게

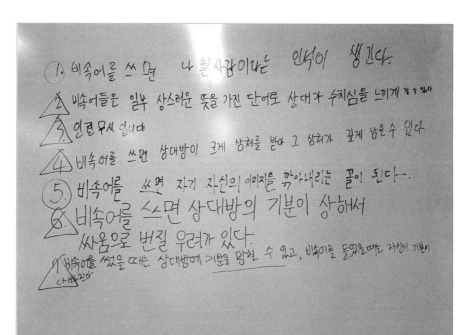

①. 비속어를 쓰 면   나 쁜 사람이라는 인식이 생긴다.

②. 비속어들은 일부 상스러운 뜻을 가진 단어로 상대가 수치심을 느끼게 할 수 있다

③. 인격무시 입니다

④. 비속어를 쓰면 상대방이 크게 상처를 받아 그 상처가 깊게 남을 수 있다.

⑤. 비속어를 쓰면 자기 자신의 이미지를 깎아내리는 꼴이 된다ー.

⑥. 비속어를 쓰면 상대방의 기분이 상해서
   싸움으로 번질 우려가 있다.

⑦. 비속어를 썼을 때는 상대방에 기분을 망칠 수 있고, 비속어을 들었을때는 자신의 기분이
   나빠진다

---

1. 듣기 거북하기 때문에 규제 해야한다.!

②. 하나의 인격체에 모욕감을 줄수 있기 때문에

③. 서로 장난으로 욕을 쓴다. 서로 기분이 나빠지 서로도 모기 머뭇거다.

④. 비속어 속에 있는 단어 뜻을 알아보면 서로에게 상처가 됫많이 대목분이고 욕이 습관되다면 초면에 욕을 내뱉을
   ①   ②   ① ②세게 아줌이 액
                                              ③남간도 있지

⑤. 비속어를 사용하면서 장난을 치다가 큰 싸움으로 번질 수 있기 때문

⑥. 비속어 사용으 친구관계가 나빠질수 있기 때문에

⑦. 말 자 처기 가 더럽고축하 기때문 에 쓰면안 된 다.

⑧ 사람들 이욕에 뜻을 모르고쓰는 경우가 많아서

⑨. 싸움이 원인날수도 있어서

10. 욕은 나쁘다.

토론 (입론하기)	입론과 반론				스스로 점수	
	(4)반 (15)번 ( )		날짜	5월 14일		

논제	교실에서 비속어 사용을 규제해야 한다.
	(핵심 개념 정의) 비속어 - 상대방의 기분을 나쁘게 하는 천박한 말.

문제 제기	등장배경 현실적 심각성 및 개선의 필요성	요즘들어 학생들의 비속어 사용량이 증가하여 여러 문제점들이 발생하고 있습니다. 때문에 친구들과의 원만한 관계유지, 언어 습관등을 위해 학생들의 비속어 사용을 줄일 필요성이 있습니다.

		찬성측	반대측
첫째	이유	비속어는 남에게 피해를 줌.	규제로인해 친구간의 갈등 유발
	근거 사례	청소년폭력예방제단센터에 접수된 사례. → 중2 여학생이 지난 1년간 같은반 친구들에게 지속적으로 비속어·조롱같은 언어폭력을 당해 공황장애와 우울증을 앓고 있음. 이처럼 비속어는 남에게 정신적·육체적 피해를 줌. 그러므로 피해를 예방하기 위해 비속어 사용을 규제 해야함.	규제를 했을 때 여길 경우 적발되는 과정에서 친구간의 다툼이 빈번하게 일어남. 예로 6학년 때 한 친구가 실수로 욕을 썼고 그걸 들은 친구가 선생님께 그대로 이름. 원래도 사이가 별로 좋지않았던 두 친구는 이 일 이후로 졸업전 까지 틈만나면 싸워댔음. 이처럼 친구와 친구간의 갈등을 유발하는 규제방식은 좋은 효과를 기대했던 논제의 취지와 맞지 않으므로 좋은 방식이 아니라고 봄.
둘째	이유	비속어 사용 규제는 바른 언어 습관을 갖게함.	규제를 하면 비속어 사용이 늘어날수 있음.
	근거 사례	'세살적 버릇이 여든까지 간다'라는 속담에서도 알수있듯이 한번 습관이 된것은 고치기 어려움. 때문에 늦기전에 비속어 규제를 통해 비속어 사용을 줄여나가며 바른언어 습관을 가질수 있도록 노력해야함. 또 그 속에서 평소 자신의 언어습관을 되돌아보고 바른 언어의 중요성을 깨달으면 반드시 나에게 좋은 효과로 돌아올것임. 그러므로 비속어 사용을 규제 해야함.	청개구리 심리란, 본인도 깨닫지 못하는 무의식적인 공격성이 발현되어 상대의 말에 반대로 행동하도록 동기화된것, 또는 특정 행동을 억누르려 애쓰는 노력이 되려 인지적 과부화를 불러와 특정 행동을 더 잘 하도록 하는 것을 말함. 때문에 이 심리로 문제가 발생함. 교실에서는 규제 때문에 막지 쓰지 않는다 해도 규제에 해당되지 않는 밖에서는 전보다 더 많이 비속어를 사용할수 있으므로 이 규제는 사실상 효과이 없음.
셋째	이유	비속어 사용은 학습효과를 떨어뜨림.	강압적인 규제는 좋은 방법이 아님.
	근거 사례	서울대학교 심리학과 곽금주 교수팀에서 비속어를 많이 사용하는 아이, 그렇지 않은 아이들을 비교하는 실험을 한 결과 비속어를 많이 사용하는 아이들은 계획성과 인내심이 낮축하고 자기제어능력, 자아존중감 등이 떨어지는 특성이 보였다고 함. 이처럼 비속어 사용은 학습 효과를 떨어뜨려 남뿐만 아니라 나 자신에게까지 피해를 주으로 적절한 규제를 통해 개선해야함.	앞서 말했던 두 근거와 같이 이 규제는 문제점도 많고 효과도 적게 나타남. 그러므로 강압적인 규제보다 학생들이 비속어 사용이 잘못되있음을 깨닫고 스스로 고쳐 나갈수 있도록 할 수있는 방법을 함께 토의해야함. 누군가에 의해서 강제로 지키는 것은 그 누군가가 없어지면 절대 지켜지지 않음. 그러므로 우리가 함께 노력하고 토의하면 이 논제의 방안보다 효과있고 좋은 방안을 찾을수 있음.

대처해야 합니다. (근거, 사례 제시)"

3가지의 이유는 수업에서 함께 찾아보고, 나머지 구체적인 사례는 가정에서 찾아보도록 한다. 그리고 다음 시간에 대표 토론을 할 학생 6명을 정한다.

다음 시간에는 실제 토론을 할 것이다. 이때는 두 팀이 나와서 찬성과 반대를 정한 다음, 토론을 시작한다. 나머지 학생들은 토론 과정을 들으면서 내용을 정리한다. '판정'이라는 중요한 역할을 하는 것이다.

'판정하기'는 이전처럼 토론 학습지 뒷면을 이용한다.

내 삶의 의미
『팬티 입은 늑대』

그림책 속의 사회

내가 이 그림책을 알게 된 것은 서귀포 초등토론아카데미에서이다. 어떤 그림책을 선정할 것인지 의논하고 있을 때, 한 초등학교 선생님이 추천한 것이다. 덕분에 나도 좋은 그림책을 접하게 되었다. 이 그림책 수업은 올해 시도할 예정이다. 지난해에 수업했던 『낱말 공장 나라』의 반응이 좋아서 앞으로도 그림책을 활용한 토론 수업을 이어가려고 한다. 얼마전 우리 학교 선생님과 나누었던 대화가 생각이 났다.

"불가리스가 코로나 예방에 좋다는데, 오늘 퇴근길에 많이 사다 놓아야겠네."
"진짜요?"
"연구 결과를 발표했대요."

나는 이 대화를 나누었다는 것을 깜빡 잊고 있었다. 그런데 며칠 후 TV뉴스를 보는데 남양유업 사태가 보도되고 있었다. 남양유업 측에서 연구한 결과, 불가리스의 코로나 면역력이 입증되었다면서 광고를 했다는 것이다. 이 광고의 내용이 거짓으로 판명이 나면서 소비자들의 불매 운동까지 불렀다는 것을 나는 뉴스를 보고 알았다.

이 그림책을 보면서 문득 지금의 남양유업 사태가 생각나는 것은 사회가 당면한 커다란 문제 상황이 있다는 점 때문이다. 우리는 지금 '코로나'라는 공동의 적을 가지고 있고, 그림책 속의 사회는 가상의 '늑대'라는 적을 가지고 있다. 아마 상황이 급하거나 공포심이 크면 합리적 판단을 하기가 조금 어려울 수도 있지 않을까?

이 그림책은 우선 큰 화면으로 한 마을의 모습을 전부 보는 듯한 느낌이 든다. 그래서 다른 그림책보다 더 꼼꼼하게 그림을 보고 글을 읽어야 한다. 그래야 이 동네의 모습을 제대로 파악할 수 있다. 나도 한 번 읽은 뒤 연이어 다시 읽었다. 그림이나 내용도 재미있고, 뭔가 주제를 숨기고 있는 느낌이 들었다고나 할까. 그 느낌을 따라서 또다시 그림책 속으로 들어가 본다.

내가 재미있게 읽었던 책이니, 얼른 학교에서 토론 수업과 어떻게 연결시킬까를 고민한다. 그림책의 내용에 따라서 어떠한 방법과 방향으로 접근할 것이지를 고민하는 것이다. 혼자 질문을 해본다. 이렇게 해 볼까? 아니, 그보다 더 나은 방법은 없을까? 고민을 해결하는 과정에서는 반드시 스스로에게 질문을 한다. 다음은 내가 읽으면서 만들어낸 질문들이다.

① 이 사회의 문제점은 무엇인가?
② 맹목적인 믿음은 왜 생기는가?

③ 합리적 의심을 하는 것은 왜 필요한가?

④ 사회의 직업군은 어떻게 만들어지는가?

⑤ 공포는 어떻게 조장되는가?

⑥ 팬티 입은 늑대는 어떤 느낌을 줄까?

⑦ 늑대의 본성은 어떤 모습일까?

⑧ 팬티를 선물한 올빼미는 어떤 존재일까?

⑨ 늑대의 실체를 알고 사람들이 두려워한 이유는 무엇일까?

⑩ 내 삶의 이유는 무엇일까?

여러 개의 질문들을 만들다 보니, 이 중에 어떤 것으로 토론 수업을 하는 것이 좋을지 판단이 선다. 나는 이 그림책을 읽고 학생들이 여러 질문들을 하면서 결론적으로는 '삶의 의미'에 대해 생각해보기를 희망하는 것이다.

내 삶의 의미

나는 가끔 학생들에게 질문을 던진다.

"너는 왜 사니?"

그러면 학생들은 박장대소한다. 설마 선생님이 이런 질문을 하리라고는 생각해보지 않았을 테니까 말이다. 나의 이 질문이 너무나 황당하게 느껴졌을 것이고, 나 또한 이런 상황을 알고 질문을 던진 것이다. 하지만 나는 학생들이 가끔은 삶의 의미에 대해 생각하기를 바란다.

학생들은 생각나는 대로 대답을 하는데, 그래도 대답을 못 하면 내

가 삶의 목표에 대해 묻는다. 그러면 조금 쉽게 느껴져서 대답이 쏟아
진다.

- 공부를 잘하는 것.
- 돈을 많이 버는 것.
- 좋은 대학에 가는 것.
- 멋진 이성을 만나는 것.
- 좋은 직장을 갖는 것.

등등의 다양한 대답들이 나온다. 그러면 나는 다시 묻는다.

"그런데 왜 그렇게 하고 싶은데?"

그러면 학생들은 다시 생각에 빠진다. 그런 과정을 통해서 학생들
은 그들의 궁극적인 목표가 '행복'이라는 것을 깨닫게 되는 것이다. 그
러면 다시 행복이라는 것에 대해 생각하게 된다. '파랑새' 이야기도 나
오고, 행복은 어디에 존재하는지에 대해서도 이야기가 오간다.

나는 가끔 '판도라의 상자'에 대해 생각한다. 만약 그때 판도라가 상
자를 열지 않았다면 인간은 행복했을까? 나는 판도라의 상자가 존재하
기 전의 인간이 그 이후의 인간들보다 더 행복했다고 생각하지는 않는
다. 아마 그 이전의 인간은 '행복'이라는 것에 대해 생각할 필요조차 없
는 삶을 살지 않았을까? 신이 만들어준 대로, 주어진 조건에 맞는 생활
을 했을 것이다.

판도라가 상자를 연 순간, 인간은 비로소 자신의 삶을 개척해야 하
는 존재가 되었을 것이다. 물론 주위의 많은 어려움들을 해결해야 하는

고통도 겪게 되었지만, '생각하는 인간'으로서의 첫발을 디디게 되었다고 생각한다.

아마 판도라가 상자를 열었기 때문에 토론이 필요해진 것은 아닐까? 판도라의 상자 맨 밑에 깔려 있는 희망을 현실에 실현시키기 위해 토론은 필요한 것이 아닐까?

이 그림책에서 내가 묻고 싶은 것, 학생들이 얻기를 바라는 것이 '삶의 의미'이기 때문에 그런 의도를 담은 토론 학습지를 제작한다.

이 학습지는 다소 철학적인 면이 있다. 학생들이 삶의 의미에 대해 깊이 생각해볼 수 있기 때문이다. 그리고 발표하고 듣는 과정을 통해서 자신의 삶의 방식에 대해 성찰해 볼 수 있는 기회를 얻을 수 있다.

나는 지금 이 학습지를 만들면서 학생들이 어떤 목표를 가지고 있는지, 어떤 삶의 모습을 꿈꾸는지, 그리고 행복의 조건은 무엇이라고 생각하는지 살펴볼 수 있어서 기대가 된다.

1. 지금(중1) 내 삶의 목표는 무엇인가?

나는 지금(중학교 1학년) 하고 싶은 일, 혹은 해야 할 일들이 많습니다. 내가 해야 하는 일들의 우선순위를 정해 봅시다. 그리고 이유를 적어봅시다.

우선 순위	이유
①	
②	
③	
④	
⑤	

2. 행복한 삶의 조건은 무엇인가?

우리는 모두 행복을 원하고, 행복한 삶을 만들기 위해 노력합니다. 그렇다면 행복한 삶을 위한 조건은 무엇인가요? 우선순위를 정해 봅시다.

우선 순위	이유
①	
②	
③	
④	
⑤	

3. 나는 어떠한 삶을 살고 싶은가?

내가 살고 싶은 삶의 모습을 그려 봅시다. 나는 장차 어떤 모습으로 살아가고 싶은가요?

행복이란?
『슈퍼 거북』

유명인을 꿈꾸며

요즘 학생들의 꿈은 무엇일까? 그들이 원하는 장래의 직업은 무엇일까? 대부분 돈을 많이 버는 일이라는 대답을 할 것 같다. 그런데 그 대답보다 더 상위에 오늘 것 같은 직업은 바로 연예인이 아닐까?

학생들은 눈앞에 보이는 결과로 직업을 판단하는 것 같다. 연예인이라는 직업은 겉으로 보기에 화려하고 행복해 보이는 직업임에는 틀림이 없다. 그리고 그들은 무엇보다도 유명하다. 많은 사람들이 그들의 존재를 인식하고 있으며, 부러움의 대상으로 존재하는 것이다.

언젠가 서귀포시초등토론대회에서 "('토끼와 거북이' 우화에서) 거북이의 승리는 비난받아야 한다."라는 논제로 토론을 진행했었다. 우리는 교과서에 실린 이 우화를 읽으면서 열심히 달리려고 노력한 거북이를 찬양해 왔지만, 한편으로 생각하면 거북이의 행동은 상대의 실수(오만함에서 비롯되었겠지만)를 기회로 삼아서 얻은 것이기 때문에 비난의 여지가 충분히 있다. 당연히 이 토론에서도 여러 가지 주장과 반박이 오가면서 초등학생의 눈높이로 본 재미있는 토론이 이어졌던 것으로 기억한다.

그런데 학교도서관에서 『슈퍼 거북』이라는 그림책을 보게 된 것이다. 처음 읽으면서 소재도 참 신선하고 토론거리가 될 직한 책이라는 것을 알았다. 그리고 우리나라 작가가 쓴 그림책이라서 반가운 마음도 컸다.

이 책의 주인공은 빠른 토끼를 이긴 거북이라서 지금 학생들이 원하는 유명인이 되었다. 우리가 아는 것처럼 토끼가 잠을 잤기 때문에 거

북이가 이기게 된 것이긴 하지만 다른 동물들의 기대는 컸다. '우승자'에 걸맞은 수준을 요구하게 된 것이다. 이러한 동물들의 요구에 맞추어야 하는 거북이의 삶은 처절하게 이어진다.

이러한 노력 끝에 그는 진짜로 슈퍼 거북이가 되었지만, 그의 삶은 행복하지 않았다. 거울을 보니 폭삭 늙어버린 자신의 얼굴이 보였고, 예전의 느릿느릿한 삶이 그리워진 것이다.

나도 올해 이런 경험이 있다. 어머니의 영향으로 약간은 부지런함이 몸에 배어 있다고나 할까. 가만히 앉아있기보다는 무언가 일을 하는 것을 좋아한다. 그러다가 지난 4월, 나는 주말에도 쉬지 못하고(고사리 꺾는 취미로), 평일에도 퇴근 후에 화요일과 목요일에는 교사영어연수를 들으러 가고, 나머지 요일에는 테니스를 치면서 바쁘게 지냈다.

그러다 편두통이 올 것 같다는 예감이 들었고, 실제로 편두통으로 3일 정도 고생을 했다. 그때 '내가 나를 너무 돌보지 않았구나!'라는 생각이 들었다. 조금씩 쉬면서 생활해야겠다고 생각하게 된 것이다.

어느 삶이 행복한가

고등학교 시절, 가장 인상적인 국어 수업 시간 중의 하나는 안톤 슈낙의 「우리를 슬프게 하는 것들」이라는 수필을 배울 때였다. 어려운 단어들이 많이 쓰였지만, 오히려 그런 난어들 때문에 더 슬픔의 감상에 빠졌던 시간이었다. 우리는 '나를 슬프게 하는 것들'이라는 주제로 글을 썼는데, 본문을 학습한 터라 평소에는 가라앉아 있던 슬픔들을 모두 꺼내어 글을 쓰고 발표를 했다. 나는 발표하는 도중 눈물이 쏟아졌고, 다른 친구들도 모두 울어버렸다. 기어이 선생님은 수업 시간을 10분 남기고 책을 덮을 수밖에 없었다.

내가 이 시간을 기억하는 이유는 그때 말로만 듣던 비극의 효과인 카타르시스를 경험했기 때문이다. 슬픔의 감정들을 쏟아내면서, 내가 좀 더 기쁨의 감정들을 채워갈 수 있게, 내면이 정화되는 느낌을 경험했기 때문이다.

나는 학생들이 사소하다고 느낄 수 있는 자신의 감정들을 꺼내어 표현하는 게 좋은 학습이 될 것이라고 생각한다. 슬픔과 기쁨, 절망과 희망, 의지와 포기 등의 감정들을 묻어두지 말고 표현하면서 마음이 정화되는 느낌을 경험하면, 여러 감정들을 소중하게 바라볼 것이라는 생각이 든다.

남보다 더 뛰어나야, 혹은 남보다 더 많이 지녀야 행복할까? 슈퍼 거북이처럼 실력을 연마해 슈퍼 거북이 된다면 원하던 행복을 얻을 수 있을까? 이 책은 행복한 삶에 대해 생각해 보게 한다. 행복을 다룬 책이면서도, 그 행복을 남과 비교하지 않고, 자신의 과거와 현재의 두 상태를 놓고 비교해 볼 수 있어서 좋았다.

우리는 가끔 이런 말을 한다. '내가 만약 …했더라면 행복했을 텐데.'라고 말이다. 거북이도 그런 생각을 했을 것이다. '내가 토끼를 이긴다면 행복할 텐데.' 그런데 토끼를 이긴 거북이는 행복했을까? 이 책이 제시하는 문제가 바로 이것이다. 원하던 상황이 이루어지면 우리는 행복한 것일까? 행복은 무엇일까?

나는 우리도 가끔씩 스스로 질문을 하면서 살아야 한다고 생각한다. 내 생각을 존중해주면서 말이다. 그리고 행복하다고 생각하지 않으면 행복해지기 위해서 노력하면서, 상황을 바꿔가면서 살아야 한다고 생각한다. 우리는 행복해지기 위해서 사는 것이기 때문에.

'행복해지려거든 행복한 것처럼 행동해라.'라는 말은 내가 좋아하는 말이기는 하지만, 그럼에도 행복해지지 않는다면 행동을 바꿔야 한다.

거북이도 행복한 것처럼 우승자에 걸맞은 행동을 했지만 행복을 느끼지 못했다.

학생들이 행복하다고 느낄 때는 어떤 때인지 궁금하다. 혹시 친구나 선생님의 배려로 행복함을 느낀다고 말한다면 얼마나 좋을까.

토론 수업을 통해 행복의 의미를 찾게 된다면 얼마나 좋을까.

1. 거북이의 삶의 흐름을 짚어봅시다.

거북이의 삶의 과정을 정리하면서 그 시기에 거북이가 바라던 삶의 모습은 어떤 것이었는지 써봅시다.('토끼와 거북이' 이야기까지 연결시켜서)

① '토끼와 거북이' 시절

거북이의 상황	거북이의 바람

② '슈퍼 거북' 우승 트로피를 받음

거북이의 상황	거북이의 바람

③ '슈퍼 거북' 슈퍼 거북 상태 유지

거북이의 상황	거북이의 바람

④ '슈퍼 거북' 재경기에서 짐

거북이의 상황	거북이의 바람

2. 거북이의 삶에서 가장 행복한 기간은 언제일까요.

앞의 ①, ②, ③, ④ 거북이의 삶 중에서 거북이가 가장 행복했던 기간은 언제라고 생각하시나요? 이유를 들어서 주장해 봅시다.

나는 거북이의 ( )번 삶이 가장 행복하다고 생각한다.

_____

_____

_____

_____

_____

_____

_____

_____

_____

3. 내가 행복한 때는 언제인지 생각해봅시다.

나의 삶에서 행복하다고 느낄 때는 어떤 때인지 생각해봅시다. 작은 행복들을 찾아보세요. 나를 행복하게 하는 것들.

①

②

③

④

⑤

⑥

⑦

⑧

⑨

⑩

참고 문헌

김규중 외 엮음,『국어교과서 작품 읽기 중1 시』, 창비, 2013.

김설아 역,『이솝우화』, 단한권의책, 2013.

김소라·방윤숙,『중학교 국어책이 쉬워지는 토론 수업』, 팜파스, 2017.

김형철 외,『중학교 국어 1-1』, 교학사, 2014.

노미숙 외,『중학교 국어 1-1』, 천재교육, 2017.

리처드 바크, 김미정 역,『갈매기의 꿈』, 하서출판사, 2006.

마크 트웨인, 박웅희 역,『전쟁을 위한 기도』, 돌베개, 2003.

박광수,『광수생각』, 소담출판사, 2002.

사이토 다카시,『질문의 힘』, 루비박스, 2017.

송재환,『초등 고전 읽기 혁명』, 글담, 2011.

안톤 체호프, 이영범 역,『체호프 유머 단편집』, 지식을 만드는 지식, 2013.

어린이문화연구원 엮음,『이솝우화 123가지』, 영림카디널, 2005.

유안진,『지란지교를 꿈꾸며』, 아침책상, 2021.

이영광,『아픈 천국』, 창비, 2010.

이지성,『리딩으로 리드하라』, 문학동네, 2010.

전국국어교사모임 엮음,『국어시간에 세계단편소설 읽기 1』, 나라말, 2009.

전성수,『부모라면 유대인처럼 하브루타로 교육하라』, 위즈덤하우스. 2012.

전성수·고현승,『질문이 있는 교실-중등편』, 경향BP, 2015.

정동훈·성혜숙 역,『이솝우화』, 태을출판사, 2014.

정호승,『수선화에게』, 비채, 2015.

하브루타수업연구회,『질문이 있는 교실-초등편』, 경향BP, 2015.

EBS '왜 우리는 대학에 가는가' 제작팀,『왜 우리는 대학에 가는가』, 해냄, 2015.

EBS 다큐프라임 〈왜 우리는 대학에 가는가?〉

EBS 다큐프라임 〈인류의 탄생〉

김정자

교육의 목적은 생각하는 인간, 논리적으로 생각하는 인간을 만드는 것이라고 믿는 중학교 국어
교사입니다. 그래서 토론을 시작하게 되었고, 다양한 토론을 수업에 접목시키고자 노력하고 있
습니다. 36년 차 교사로, 현재 대정중학교에 근무하고 있습니다.
토론을 즐겁게 배운 후부터 혼디모영토론교과교육연구회 활동을 계속하고 있습니다. 방학마다
서귀포시청소년토론아카데미와 서귀포시초등토론아카데미에서 강사로 활동하고 있습니다.

같이 토론
느우렁 나우렁 다우렁 - 함께하는 토론 수업

2021년 9월 30일 초판 1쇄 발행

지은이 김정자
펴낸이 김영훈
편집인 김지희
디자인 나무늘보, 부건영, 이지은
마케팅 강지인
펴낸곳 한그루
　　　　출판등록 제651000025100200800003호
　　　　제주특별자치도 제주시 복지로1길 21
　　　　전화 064 723 7580 전송 064 753 7580
　　　　전자우편 onetreebook@daum.net 누리방 onetreebook.com

ISBN 978-11-90482-72-1 (03370)

값 16,000원

'느우렁 나우렁 다우렁'은 '너를 위하여 나를 위하여 모두를 위하여'라는
뜻의 제주어입니다.